EL CLUB DE LAS PERFECTAS DIVORCIADAS

Ana Rodríguez Mosquera

El club de las perfectas divorciadas
Cuando las segundas partes son las buenas

,

El papel utilizado para la impresión de este libro
es cien por cien libre de cloro
y está calificado como papel ecológico

© Ana Rodríguez Mosquera, 2015
© Editorial Planeta, S. A., 2015
Ediciones Temas de Hoy, sello editorial de Editorial Planeta, S. A.
Avda. Diagonal, 662-664, 08034 Barcelona
www.temasdehoy.es
www.planetadelibros.com
Primera edición: junio de 2015
ISBN: 978-84-9998-436-0
Depósito legal: B. 6.888-2015
Preimpresión: Safekat, S. L.
Impresión: Unigraf, S. L.

ÍNDICE

Gracias por hacerme sentir la mujer
mejor amada del mundo.

PRÓLOGO

Me ha costado algunos días superar el respeto, algunos lo llamarían pánico, a la hoja en blanco. La causa no es la falta de ideas, que las tengo y muchas, sino el peso de la responsabilidad por contar reflexiones que puedan resultar de lectura interesante. Soy una buena lectora y, por eso, respeto muchísimo a las personas que tienen la capacidad de traspasar sus sentimientos, vivencias y pensamientos a las páginas de un libro. Al final aquí estoy, hay que decidirse; me gustan los retos, os abriré mi corazón y contaré algunos de mis secretos, al final sabremos si el objetivo de despertar vuestro interés se ha conseguido.

Ante todo, quisiera aclarar algunos asuntos desde el principio:

Quiero conseguir que recordéis, a partir de este momento, y para siempre, que yo no soy Ana Bono. No lo he sido nunca, ni cuando estuve casada ni por supuesto ahora, que llevo divorciada más de cuatro años. No he utilizado nunca el apellido, porque tengo los míos propios y, desde luego, no me gusta que me denominen así, y todavía menos como Ana Rodríguez, ex de Bono, ¡como si yo no hubiera hecho más cosas en la vida que me definan además de mi boda!

En segundo lugar, quiero que me conozcáis un poco más. Contaré detalles, tal vez no todos los que os gustaría saber, pero sí los suficientes para que sepáis algo más de mí y para que os merezca la pena dedicarme un tiempo y leer estas páginas en las que he puesto mucha energía, responsabilidad y, sobre todo, ilusión.

Aclarados estos puntos, quiero comentar que estos últimos años no han sido una época fácil; me habría gustado que alguien me hubiera hecho llegar un *Manual de instrucciones* para saber cómo afrontar los obstáculos que la vida me ha ido poniendo delante; uno de ellos, mi separación.

Decidí escribir este libro para contribuir a que algunas mujeres vivieran el proceso de divorciarse de una manera más sencilla, menos traumática y, a ser posible, con mejor talante. Considerar que, por leer este libro, se solucionarán vuestras dudas y problemas sería demasiado vanidoso por mi parte. Pero me sentiría muy orgullosa si os enfrentaseis a estos hechos con mejor humor, más conocimiento de los temas, más fuertes de ánimo y con menos miedo a salir *trasquiladas* durante el desarrollo de los acontecimientos.

Como iréis descubriendo, divorciarse no significa que la vida se acaba, no es el final, pero tampoco es un paseo maravilloso. El divorcio es un proceso terrible en el que todos salimos perdiendo, de una forma o de otra. Pero tiene algo que os quiero destacar: lleva un orden y cumple una serie de pautas idénticas en todos los casos, y no me refiero a las judiciales, sino a los comportamientos que mujeres y hombres desarrollan antes, durante y después de producirse, y que suelen ser muy similares en todas las situaciones. Si tenemos la ventaja de conocer estas pautas que se repiten miméticamente, podremos ir a la *contienda* con cierta preparación y mayor tranquilidad. Veréis que, a lo largo de todo el texto, utilizaré términos relacionados con la idea de beligerancia, considero que son los que mejor reflejan el sentido de lo que sucede en un proceso así... ¡las que lo hemos vivido lo sabemos bien!

El divorcio no es la guerra, pero sí una batalla de estrategias, objetivos, pérdidas y victorias, desafecciones, egoísmos, vanidades, autoestimas enfrentadas, daños propios y colaterales. Pasar por todo esto sin perder el norte te tiene que coger muy preparada, si no quieres dejarte por el camino la cabeza, la autoestima, la estabilidad, la fe en el ser humano, la economía o la posibilidad de tu recuperación futura.

El libro abarcará tres terrenos fundamentales:

Por una parte, os cuento los datos y aspectos generales que considero que son necesarios para iniciar y terminar el duro proceso que conlleva un divorcio. Este libro, creo que el título no deja lugar a ninguna duda, está escrito para mujeres y contiene experiencias contadas por mujeres. Pero también se comentarán actuaciones de nuestros compañeros del otro sexo, al menos a modo de pinceladas necesarias para entender hechos y comportamientos.

Otro apartado estará centrado en el relato de mis propias vivencias y anécdotas. Sé que se dice que *nadie escarmienta en cabeza ajena*, pero espero que la experiencia de lo que otras ya hemos pasado os servirá para afrontar vuestras disputas.

Por último, todo este tsunami vital me sucedió cumplidos los cincuenta años, esta es una edad complicada para las mujeres, llena de sentimientos y sensaciones especiales. He aprovechado estas líneas para compartir algunos secretos, recetas y costumbres que tal vez os puedan servir, como a mí, para enfrentaros a la edad, a las circunstancias especiales y a la vida con buena cara y mejor humor.

El club de las perfectas divorciadas es un libro en el que cuento mis experiencias, mis trucos y mis sentimientos, pero también relato los de otras personas. Algunas opiniones son de primera mano, están contadas por las protagonistas; otras son opiniones y vivencias de gente que no conozco, pero que me han llegado a través de terceros; incluyo todas las que he considerado válidas. Con esto, deseo aclarar que este no es un libro autobiográfico. Quien quiera leer entre líneas buscando el morbo de alusiones y claves escondidas no lo encontrará, porque no existen. Lo que cuento sobre mi vida está claro, con nombres, situaciones y datos fuera de toda duda. Pero, al mismo tiempo, la intención de que sea un libro destinado a ayudar a otras mujeres a afrontar el divorcio requiere narrar las vivencias de otras personas diferentes a mí. Creo que esta aclaración es necesaria para poder tratar temas difíciles sin la posibilidad de que alguien haga una interpretación errónea, negativa o interesada.

Pues allá vamos, como dijo Humphrey Bogart, Rick en la película *Casablanca:* «Presiento que este es el comienzo de una buena amistad».

1
LLEGAR A LOS CINCUENTA...
Y EMPEZAR DE NUEVO

Inventario y cuenta nueva

> «Aunque mis ojos ya no puedan ver ese puro destello
> que me deslumbraba. Aunque ya nada pueda devolver la
> hora del esplendor en la hierba, de la gloria en las flores,
> no hay que afligirse, porque la belleza siempre subsiste en
> el recuerdo».
>
> *Esplendor en la hierba*. Elia Kazan, 1961.

Ahora que ya he superado la frontera de los cincuenta, creo que es momento para hacer un buen balance. Nada de «ecuador de la vida», ni «cruzar el Rubicón hacia la edad de reflexión»; todo eso son cursiladas para vendernos pócimas milagrosas y falsos bebedizos rejuvenecedores. Para alguien tan positiva y optimista como yo, pasar los cincuenta es un tiempo, tan válido como cualquier otro, para mirar atrás y hacer repaso de lo bueno y lo no tan bueno, ¡que también lo ha habido!

Esta edad, si la has cumplido con alegría, sin disimulo, y has sacado experiencias vitales positivas, lo único que te da es sabiduría para superar ciertas pruebas y no repetir los errores, sobre todo porque ya conocemos el resultado de los mismos.

Antes de cumplir cincuenta años, si me hubieran preguntado si estaba feliz con mi vida hasta ese momento, habría respondido que estaba razonablemente satisfecha por varias razones: mi plan de vida progresaba adecuadamente; creía tener un futuro más o menos cierto, y había tantas cosas por las que mostrarme agradecida que quejarme hubiera sido demasiado injusto.

Pero las cosas no salieron según lo esperado, aunque, para poder entenderlo mejor, vayamos al principio.

Todo comenzó hace cincuenta y siete años, en Guatemala, adonde llegaron recién casados mis padres, Manuel y Albina, buscando unas oportunidades que, dado el pasado republicano de mi abuelo, a mi padre se le negaban en España, algo que, desgraciadamente, era muy común en aquellos años.

En Guatemala nací y pasé mis primeros 14 años de vida, feliz y tranquila en este hermoso país lleno de contrastes, de lenguas, de religiones y de extremos. Guardo entrañables recuerdos de mi país y de aquella época, y siempre que puedo vuelvo porque todavía conservo allí amigos que he mantenido a lo largo de mi vida.

Tras mi infancia guatemalteca, cumplidos los 14, mis padres se instalan por motivos profesionales en la República Dominicana. Allí vivo un año hasta que, ante la posibilidad de que pudiera acabar echando raíces definitivas, deciden enviarme a España. Aquí empieza mi época itinerante: cambio de país, de domicilio y de compañía familiar. Como imaginaréis, fue para mí un tiempo doloroso, al que me costó adaptarme: dejar a mis padres y a mis hermanos, mi vida —con todo lo que ello suponía—, para irme a vivir a La Coruña con mi abuela Francisca. Necesité tiempo, valor y carácter para adaptarme, sobre todo al cambio de costumbres y de forma de vida, pero creo que, cuando lo superé, me convertí en una superviviente que sería capaz de adaptarse, incluso, en una isla desierta. La vida me ha ido poniendo pruebas y palos en las ruedas, pero creo que de todo lo pasado he sacado la experiencia necesaria, no solo para salir adelante, sino para marcarme un alto nivel de exigencia personal y de responsabilidad en todo lo que inicio y en cualquier cosa a la que me enfrento.

Terminado el bachillerato, me vine a Madrid, sola, para iniciar mis estudios de Sociología en la Facultad de Sociología y Ciencias Políticas. ¡Qué época más alucinante! Madrid era un hervidero de ideologías, partidos políticos, manifestaciones, reuniones ilegales y asambleas prohibidas; para mí, todo un descubrimiento.

Desde pequeña siempre he sido la luchadora de las causas perdidas, «abogada de pobres», me decía mi abuela cuando, con gran pasión, defendía argumentos que no llevaban a ningún fin (incluso tuve una época, bastante corta, todo hay que decirlo, en la que quise ser monja y viajar al norte de mi país a trabajar a favor de la causa indígena).

En Sociología, tras conocer en una asamblea política al profesor Enrique Tierno Galván, me afilié al Partido Socialista Popular (PSP) y, más tarde, al PSOE, con el consiguiente disgusto para mi abuela, que lo definió con la sentencia «al final todas las cabras acaban tirando al monte», recordándome, con su eterno acento gallego, el pasado republicano de mi abuelo que tantos sinsabores había traído a la familia.

Vivir sola en una ciudad como Madrid, en 1975 —y en una época como aquella, con los partidos políticos todavía legalizándose y la democracia aún como un sueño lejano—, me hizo cambiar mi esquema vital. Aquí comenzó mi compromiso social y político por los principios de igualdad, solidaridad y tolerancia. En este paseo por el túnel del tiempo que estoy realizando, recuerdo conciertos de Lluís Llach, Joan Manuel Serrat, Raimon, María del Mar Bonet, Paco Ibáñez y Jarcha; me veo escuchando a Víctor Jara, Silvio Rodríguez, Amancio Prada y Violeta Parra. Todo era muy endogámico; en clase se hablaba de política, al salir hacíamos asambleas para discutir de política y después nos íbamos de cañas, en grupos reducidos para no levantar sospechas, pero seguíamos buscando las claves para salvar el mundo. Y, en este ambiente asambleario y de *manifestódromo* de jóvenes universitarios idealistas de izquierdas (¡que, como definición, no era poco...!), es donde conozco al que con el tiempo sería el padre de mis hijos, José Bono Martínez.

Vivir la política en primera línea

No quiero extenderme mucho en este episodio, estoy segura de que otros capítulos despertarán más vuestro interés, pero ahora, con el paso de muchos años, tengo la impresión de que todo sucedió como de un plumazo. Era mi último año de carrera, hubo flechazo, amor y boda en poco tiempo. Antes las cosas se hacían así. Pepe era un abogado que apuntaba maneras y que estaba metido hasta las trancas en la política activa de nuestro país. Todos los amigos decían que yo era más de izquierdas y que él era más componedor; que sus cualidades iban más enfocadas a la política profesional. Además, su paso por el colegio Inmaculada de Alicante y por la Universidad de Comillas, gestionados ambos por los jesuitas, habían acabado imprimiéndole un sello y unos principios religiosos que no eran del todo entendidos dentro de los ambientes del Partido Socialista Obrero Español al que los dos pertenecíamos.

Pero todo siguió pasando rápido. Enseguida me quedé embarazada y, con quince meses de diferencia, nacieron mis dos hijas mayores, Amelia y Ana. Cuando Ana tenía nueve meses, vuelvo a la itinerancia: nos marchamos a vivir a Toledo, ya que mi marido iba a ser candidato a la Presidencia en Castilla-La Mancha. Otro cambio de ciudad y domicilio, solo que ahora no iba sola; cada desplazamiento suponía mover a las niñas y todo lo que ello conllevaba. El traslado a Toledo no parecía nada definitivo, la candidatura para la Presidencia de la Junta no era un objetivo fácil para el PSOE, pero lo difícil se hizo realidad y José Bono ganó las elecciones a la Presidencia de Castilla-La Mancha. Y allí estaba yo, con veintitrés años, acompañándolo en lo que parecía una aventura puntual, pero que acabó ocupando veinte años de nuestra vida en común.

Dos años después de aquel traslado nació mi hijo José. Como nunca he sabido estar ociosa, con dos niñas pequeñas y un recién nacido me matriculé en la Facultad de Historia; además, empecé a ocuparme de forma profesional de los temas de Bienestar Social y Cooperación al Desarrollo en el PSOE. A ello hay que sumar los «acompañamientos» a Pepe como presidente y las tareas propias que yo, como «esposa de», tenía adjudicadas.

A esta etapa de labor política le agradezco haberme dado la posibilidad de trabajar en tareas sociales en favor de la igualdad, contra la violencia hacia las mujeres y la exclusión social y por la integración de los discapacitados y los más desfavorecidos. No podría citar a todos los hombres y mujeres de los que aprendí lo primordial, que me enseñaron cuáles son las batallas realmente importantes y me ayudaron a ser mejor persona. Este es el momento en el que quiero dedicar un recuerdo a Vicente Ferrer, a sor Lucía Caram, al padre Ángel, a Modesto Salgado, a Pepe Colmenero, a Cipriano González, a María Moreno, al padre Antonio Aurelio, a los responsables y miembros de ANADE, MARSODETO, Mensajeros de la Paz, Proyecto Hombre, Hogares de la Madre, APANAS, ASAYMA, Fundación Vicente Ferrer, Fundación Ciudad de la Esperanza y la Alegría, asociaciones de mujeres, y a tantas personas e instituciones imprescindibles en mi vida que serían necesarias miles de páginas para poder citarlas a todas.

Ser la esposa de un político no es tarea fácil, menos si vives en una ciudad tan especial, y a la vez tan representativa, como Toledo. Si además eres la esposa de José Bono, eso ya es una auténtica hazaña.

Como mujer, compartir la labor de hacer política en una gran región como Castilla-La Mancha —lo digo por valía y por extensión— fue un reto que dio un especial sentido a mi vida. Durante los veinte años que José Bono estuvo en la Presidencia tuve la inmensa fortuna de conocer a personas y personajes de la vida política, social, cultural, económica, deportiva, etc., tanto nacional, como internacional. Trabajé, representé, acompañé, di pregones y conferencias, inauguré, hice presentaciones, viajé, presidí y colaboré sin descanso. Quiero creer que quedó algo de mí en cada responsabilidad que tuve, desde luego yo me dejé la piel en el esfuerzo. Porque —y vuelvo a repetir—, como mujer, a todo lo anterior se sumaban tres hijos; cuatro cuando Sofía llegó a la familia. A eso se añadían unos estudios en marcha, mi trabajo, los viajes y mi labor como mujer del Presidente. No pretendo dar lástima ni provocar admiración por las muchas tareas realizadas. ¡Hay tantas mujeres que, como yo, han llevado a cuestas dobles y triples jornadas laborales, en casa y fuera de ella! Quiero que sirvan estas palabras como reconocimiento hacia esas mujeres que, al leer este libro, sabrán de lo que hablo, de lo importante que resulta sacar adelante todas esas misiones que parecen exclusivas del género femenino. Solo hay algo que me diferencia: me sintiera cansada, triste o desanimada, por el hecho de ejercer una labor con proyección pública yo he debido hacerlo todo con buena cara, con la sonrisa siempre puesta y con una disposición total; en mi agenda no existían horarios, vacaciones ni festivos.

Lo de Toledo es más sencillo de explicar: una cuidad preciosa, pero pequeña, centro político y administrativo de la región de Castilla-La Mancha, llena de instituciones y funcionarios, donde todos me conocían y pocas actividades se podían desarrollar sin tener encima muchas miradas. Como anécdota os contaré que un día me sacaron en una publicación regional por reírme en el cine con mis amigas ¡mientras veíamos *Amelie*…! No quiero que esto se entienda como un reproche a la ciudad de Toledo y sus gentes; aunque no haya vivido nunca de forma anónima, allí he pasado momentos mágicos e irrepetibles que guardaré siempre en mi memoria. Toledo ha sido mi hogar y siempre la consideraré mi casa.

Por último, por si fuera poco lo anterior, era la esposa de José Bono, alguien que, por una razón o por otra, siempre ha estado en el candelero mediático. Pepe es un trabajador incansable, un perfeccionista, ordenado hasta el extremo, un superactivo en el amplio sentido de la palabra y con una entrega y dedicación a sus tareas políticas casi absoluta. Todo esto implicaba que gran parte de su tiempo, incluidas muchas horas que debería haber dedicado al sueño, las empleaba en su trabajo. Entenderéis que, a lo difícil que ha sido todo, se le sumaban «dos huevos duros», como diría Felipe González.

Hay una frase que dice que «detrás de todo gran hombre, siempre hay una gran mujer», afirmación que no suscribo. Tampoco quiero caer en el chiste fácil que dice que «detrás de todo gran hombre hay una mujer... sorprendida». Yo he vivido con una persona que ha estado en una constante exposición pública, para bien y para mal, y que no ha dejado indiferente a casi nadie. Todo esto acabó pasándome factura a nivel personal; yo lo aprendí tarde, pero reaccioné.

Han sido tiempos duros pero gratificantes, como mujer y como trabajadora. He realizado infinidad de tareas, para mí todas fueron importantes, no quiero olvidar ninguna ni que nadie se sienta ofendido por no aparecer en estas páginas, pero, de entre todas, estas son las que agradezco especialmente haber podido desempeñar:

Pertenezco, desde su creación, al Consejo Rector de Proyecto Hombre en Guadalajara, artífice del Centro para la Reinserción de Personas con Problemas de Drogas y Alcohol, con Modesto Salgado a la cabeza.

Viajé, acompañando al padre Ángel, presidente de Mensajeros de la Paz, a Benín, Argentina, Perú, Panamá y El Salvador, abriendo centros. En España, se pusieron en marcha proyectos para madres adolescentes, niños con SIDA, comedores infantiles, residencias de ancianos y menores, comedores para familias sin recursos, recogidas de material escolar, bancos de alimentos, comedores nocturnos, etc.

Permanecí tres meses en Anantapur (India) al lado de Vicente Ferrer, en la fundación que lleva su nombre, donde realicé todo tipo de trabajos, especialmente dedicados a la reinserción social y económica de las mujeres.

Viajé a India con María Moreno, directora de la Fundación Ciudad de la Esperanza y la Alegría, para la puesta en marcha y evaluación de proyectos relacionados con la educación y la salud de los niños.

Colaboré con el padre Antonio Aurelio apoyando el Centro de Inmigrantes menores de edad.

Junto a José Colmenero, de ANADE, creamos un grupo de teatro en Ciudad Real, formado por personas con discapacidad.

Participé en la creación del Grupo Greco para impulsar la industria textil en Castilla-La Mancha. En septiembre de 1987 tuvo lugar el primer evento de moda que sumó a los dieciséis empresarios y empresarias que formaban este grupo. Fue el primer acto de estas características que se realizó en la región, y tuvo una gran repercusión local y nacional. Hoy en día, algunas de aquellas empresas tienen una gran relevancia en nuestro país, han alcanzado el éxito y dan trabajo a muchas personas en Castilla-La Mancha.

Son buenos recuerdos y buenas épocas. De todo aquello, además de las obras hechas, quedan las personas con las que trabajé y con las que todavía mantengo relaciones de colaboración, de afecto y una buena amistad. Otros nos dejaron: quiero tener un recuerdo muy especial para Vicente Ferrer y Jesús Sabroso, también para algunos otros que ya no están con nosotros. ¡Echo tanto de menos su apoyo, su lealtad y su cariño…!

Los políticos y sus entornos familiares no lo tienen fácil para salvaguardar sus vidas privadas. Como os he comentado, se está permanentemente en el centro de atención de miradas, comentarios y críticas. Parece que todos tienen derecho a opinar sobre tu forma de vida por el mero hecho de haberte otorgado el voto, o incluso sin haberte votado.

Luego está el hecho de ser la esposa de un político, un difícil papel, tanto si te pasas de actividad como si no llegas. Si tienes mucha presencia, te acusan de exceso de protagonismo (ahí tenemos el ejemplo de Ana Botella, esposa de José María Aznar); si no participas o no tienes una tarea definida y apareces lo justo e imprescindible, te acusan de no asumir tu papel y te critican porque el trabajo de tu pareja te es ajeno (aquí tenemos el ejemplo de Sonsoles Espinosa, esposa de José Luis Rodríguez Zapatero). Pero ya se sabe, en este país resulta muy difícil acertar, se haga lo que se haga..., y más siendo mujer. No creo que al marido de Ángela Merkel se le haya acusado jamás de desubicación o de falta de interés; tampoco he oído nunca comentario alguno sobre el papel que realizaba el marido de Esperanza Aguirre. La lupa siempre se dirige hacia nosotras; las críticas son más feroces con las mujeres.

A la dificultad de encontrar la correcta ubicación respecto al trabajo de nuestras parejas se nos añade la lapidaria frase: «No basta con que la mujer del César sea honesta; también tiene que parecerlo», formulación machista y discriminatoria donde las haya, pero que la opinión pública nos impone como una losa. Por mucho que he buscado, no he encontrado ninguna expresión con igual o parecido contenido referida al sexo contrario, o sea, más de lo mismo: a las mujeres siempre se nos mide con diferente rasero.

Aunque la pareja funcione, la convivencia con un político es dura, ya que no existen horarios, ni días de vacaciones conocidos con antelación, ni posibilidad de hacer planes que se lleven a cabo con seguridad, ni celebraciones familiares o escolares contando con su presencia. Se multiplican las actividades que las mujeres debemos desarrollar en soledad y, además, disculpando al personaje ante propios y ajenos para que siempre salga bien parado. Si no están, es lo que hay: toca sacar adelante todas las tareas; pero, cuando aparecen, rodeados de escoltas, coches y todo lo que se ha dado en llamar la «erótica del poder», el resto deja de existir y todo empieza a girar en torno a ellos como un satélite. Aparece una cohorte de personas que les regala el oído, les pide favores o les rinde pleitesía, lo que acaba resultando aún peor.

Habréis entendido que hablo de políticos hombres, porque las mujeres políticas, pese a enfrentar las mismas jornadas maratonianas, siempre sacan espacios de tiempo para tener presencia en sus familias, en la educación de sus hijos. Las formas y los tiempos de desarrollar un mismo trabajo, como iremos viendo, son diferentes para mujeres y para hombres. Todas las que hemos tenido un marido dedicado a la política, como las que han convivido con un banquero o empresario de éxito, sabrán de lo que hablo.

Las mujeres de los políticos tenemos que cubrir para nuestras familias un espacio que, de otra forma, quedaría vacío. Ellos son conocedores de sus ausencias y lo que estas provocan; entonces arrastran una sensación de mala conciencia, porque están faltando a sus obligaciones familiares y afectivas, y tratan de equilibrarlo unas veces con mimos y caprichos fuera de toda necesidad, y otras aplicando una rectitud y una disciplina completamente exageradas.

Esta sensación de ir desparejada por la vida —porque tu compañero se encontrará trabajando en cualquier lugar del mundo— acaba siendo tan cotidiana que, a partir de un momento, lo que nos resulta extraño es contar con su compañía, o con su presencia, que, aunque parezca lo mismo, no lo es. En mi caso, como madre y como esposa, he asumido las tareas propias y un altísimo porcentaje de las tareas ajenas. Este esfuerzo no siempre ha sido agradecido, ni reconocido; muy al contrario, a veces se me ha echado en cara haber tenido la posibilidad y el tiempo necesarios para poder dedicarme a otras labores, solo por el hecho de ocuparme de mis hijos y mis responsabilidades.

Poco a poco las cosas van empeorando, se acaba la paciencia, se deja de perdonar y se empieza a ver solo lo negativo. Yo me he mantenido en mi papel; no creáis que al primer revés he tirado la toalla. Son montones de gotas las que colman el vaso de un matrimonio antes de cortar y tomar caminos diferentes, pero un día ese vaso rebosa y, con él, se agotan el afecto, la paciencia y las posibilidades de perdón. Si, además, a todo esto no se le aplica el criterio de privacidad (o de intimidad), sino que todo lo que sucede pasa cara al público, con opiniones de todo tipo, con versiones interesadas y con la publicación de datos innecesarios y engañosos, además de convertirse en un lamentable espectáculo, resulta doblemente doloroso.

En este mundo en el que caminas permanentemente en la cuerda floja porque cualquier mal gesto o mala palabra te sepulta en lo más hondo, solo hay que tener clara la causa por la que estás ahí. Hay que aprender que todo es pasajero, que no hay que dejarse llevar por los halagos ni por los amigos de oportunidad; que no nos puede vencer la prepotencia ni el egoísmo; que tienes que vivir en tiempo real y que, en definitiva, debes mantener la cabeza fría y rodearte de personas que te den auténtico cariño y te digan siempre la verdad, incluso la que no te gusta.

Escribió Jorge Manrique en las *Coplas a la muerte de su padre* unos preciosos versos que ahora quiero citaros.

> *Recuerde el alma dormida,*
> *avive el seso y despierte*
> *contemplando*
> *cómo se pasa la vida,*
> *cómo se viene la muerte*
> *tan callando;*
> *cuán presto se va el placer,*
> *cómo, después de acordado, da dolor;*
> *cómo, a nuestro parecer*
> *cualquiera tiempo pasado*
> *fue mejor.*
> *(...)*
> *Este mundo es el camino*
> *para el otro, que es morada*
> *sin pesar;*
> *mas cumple tener buen tino*
> *para andar esta jornada*
> *sin errar...*

Pues eso, hay que caminar en línea recta, con paso firme, mirar hacia delante y no salirse de este guion.

CUANDO NO ENTENDEMOS LA VIDA

> «Recoged las rosas mientras podáis, largos son los días de vino y rosas, de un nebuloso sueño surge nuestro sendero y se pierde en otro sueño».
>
> *Días de vino y rosas*. Blake Edwards, 1962.

> «Cuando tenía 5 años, mi madre me dijo que la felicidad es la clave de la vida. Cuando fui a la escuela, me preguntaron qué quería ser cuando creciera, Yo escribí: "feliz". Ellos me dijeron que no había entendido la pregunta, y yo les dije que ellos no entendían la vida».
>
> John Lennon (1940-1980), músico británico.

Nunca he tenido problemas por cumplir años, tampoco por decir mi verdadera edad, ahora cincuenta y siete. Será porque tengo la sensación de que he hecho muchas cosas durante todos estos años, y empecé a hacerlas siendo muy joven. Viví sola a los diecisiete años, boda a los veintiuno, madre a los veintitrés. Estudié y trabajé, desarrollé acción política y social... Y todo esto no ocurrió en el siglo XXI, una época en la que es normal tener gran actividad, sino a partir de los años setenta del siglo XX, cuando todo iba muchísimo más despacio. ¡Uf..., mirar hacia atrás me da tanto vértigo...!

Pero estas páginas no son una autobiografía, todo lo contrario; aunque os estoy dando a conocer un pequeño relato de situaciones —y todavía quedan algunas más por salir—, este es un libro en el que trato de contaros cómo me he enfrentado a los cincuenta y a todos los acontecimientos que han sucedido en esa etapa, especialmente mi divorcio. Ya llevo varios años en esta década, espero que estas reflexiones, confidencias y otras intimidades que os contaré las entendáis como lo que son: partes de un todo que han forjado mi carácter, mis tiempos y mis herramientas para enfrentarme al resto de mi vida. Si además pueden ayudar a las personas que estéis a punto de vivir situaciones iguales, pues mucho mejor.

No penséis que todo ha sido un camino de príncipes, de *vino y rosas*. Al contrario, he conocido muchos sapos, y muchas espinas han dejado su huella en forma de dolor, arrugas, problemas de salud, cansancio e insomnio. ¡Hasta en el cabello se nos notan los disgustos!... a no ser que hagas una inversión en disimularlo, pero esa es otra historia.

Si ha existido algún momento en el que yo no entendí qué pasaba en mi vida, ocurrió en la época de mi divorcio, en relación con todos los asuntos que rodearon aquel desagradable proceso. Hubo ratos en los que veía pasar mi vida como si fueran los fotogramas de una película, unos muy rápido, otros a cámara lenta. Estos últimos eran los que me provocaban más dolor.

Cuando llega la ruptura

Los problemas llevaban con nosotros desde hacía bastante tiempo, los íbamos capeando y cerrando heridas en falso, lo que no nos ayudaba nada. Llegó el año 2000 y el ambiente dentro de nuestro partido era efervescente con la convocatoria de elecciones primarias a Secretario General del PSOE. José Bono se presentó y, contra su pronóstico, perdió contra José Luis Rodríguez Zapatero por el estrecho margen de nueve votos. Después de esto, el PSOE gana las elecciones generales y Pepe abandona la Presidencia de Castilla-La Mancha para ocupar el Ministerio de Defensa que le ofreció Zapatero. A los problemas existentes entre nosotros se sumó la distancia, que en kilómetros de Madrid a Toledo no era mucha, pero sí se hizo insalvable en la comunicación y en el afecto. En 2008 es nombrado Presidente de las Cortes, y aquí fue cuando la frontera que nos separaba se hizo infranqueable, los problemas crecían y crecían y ya no había vocación de solucionar nada por ninguna de las dos partes. Hasta que, en julio de 2010, nuestro divorcio se hizo público.

¿Quién cometió más fallos?, ¿quién puso más carne en el asador de la ruptura o de las soluciones?, ¿cómo llegamos a ese punto sin retorno después de tantos años juntos?

Yo viví este periodo vital con absoluta discreción, muy pocos sabían la verdad de mi situación. Ahora que todo está más que superado y que mi vida está rehecha en todos los aspectos, aprovecho estas páginas para contar algunos datos que solo los más íntimos conocen. Entiendo que este no es el lugar para dar las explicaciones —un divorcio es cosa de dos y ambos deben explicarse—, pero, en mi caso, existieron algunas personas que colaboraron en la ruptura y lo hicieron con especial interés.

El papel del entorno

Las consecuencias de un divorcio son muy dolorosas y afectan a todos los aspectos de las dos personas que se están separando, pero si hay algo que nos destroza y nos mueve especialmente los cimientos es todo lo que se refiere a los hijos, a la familia y a los amigos.

La participación del entorno que rodea a la pareja en un divorcio puede ser de lo más variada y sorprendente; pueden apoyar, fastidiar o simplemente pasar, pero todos sufren o lamentan, de alguna forma, la disolución de un matrimonio.

Alrededor de las rupturas pululan todo tipo de personas: quienes ayudan, colaboran, se mantienen neutrales, entorpecen, intentan volver a reunir, se alegran con la ruptura, se posicionan en un lado o en el otro, te demuestran afecto, te muestran desdén y, por fin, aquellas a las que les importa un bledo por lo que tú estás pasando y se quedan al margen hasta desaparecer de tu vida. Casi existe una posición distinta por cada persona cercana, y hay un elemento común, las actitudes de todos acaban sorprendiéndonos, positiva o negativamente: nadie reacciona como esperas, todos se salen del guion que tenías previsto.

El divorcio de una pareja nunca es una ruptura entre padres-hijos, aunque sí es una ruptura entre familias y puede ser el fin de la relación entre amigos.

Primero están los hijos. Para ellos la ruptura del matrimonio es especialmente dolorosa, y depende de la edad en la que se encuentren en ese momento que se tarde más o menos en superarlo. Los hijos se ven en la posición de demostrar a cuál de los dos quieren más. Somos los padres, a veces sin hacerlo de forma intencionada, los que les forzamos a decantarse por uno, y esta situación les acaba dañando psicológicamente. También se ven afectados por el hecho de que cada miembro de la pareja quiere desarrollar el papel del progenitor que falta. Gran error: nunca serás su padre por mucho que lo intentes y, desde luego, el padre ni remotamente se parecerá a una madre.

Luego está la familia propia, que muchas veces no conoce totalmente la situación, porque las mujeres solemos esconder los problemas para evitar que los nuestros sufran. A una primera reacción de incredulidad suele suceder la recomendación de pensarlo mejor, como medida de protección ante la inseguridad del futuro. En un principio, puede incluso parecernos que nuestras propias familias no nos están apoyando, hasta que conocen realmente los motivos y, sean los que sean, suelen ayudar hasta el final. Por lo general, las reacciones de nuestras familias no dejan lugar a la duda y dan como resultado la disolución de los lazos afectivos con el miembro de la pareja al que no les une la consanguinidad. Hay ocasiones en las que los familiares de la mujer interfieren demasiado, adoptando un papel y prestando equivocadamente una ayuda que nadie les ha solicitado. También hay que ponerles freno para que no se inmiscuyan demasiado en la educación de los hijos porque, al asumir el papel de cuidadores para colaborar en las nuevas rutinas, creen que esa función lleva implícito el papel de padre y madre, y eso es un gran error.

Y luego está la familia ajena. Aquí hay reacciones de todo tipo. Si existía una buena relación, casi seguro cambiará o finalizará. Conozco casos en los que los familiares de él han tomado partido por la esposa, pero son excepcionales y, al final, siempre se ponen del lado de los suyos cuando, con el tiempo, crean nuevos núcleos familiares. Hay también quienes se quedan al margen y dejan que los hechos sigan su curso.

La relación con suegros y cuñados, si han sido de apoyo durante el periodo en el que la familia era feliz o estable, se deteriora hasta el punto de existir casos de total desapego hacia los nietos por el mero hecho de permanecer con la madre.

También están los familiares que toman partido de forma feroz contra la mujer, impidiendo la correcta comunicación entre la pareja y haciendo que situaciones que podrían arreglarse con algo de diálogo se enconen y se conviertan en problemas insalvables que repercuten negativamente en la pareja y en los hijos. Muchas de estas interferencias impiden el cierre de acuerdos económicos ventajosos para los hijos porque de forma torticera se interpretan como una situación de comodidad monetaria para la madre. Conozco casos en los que los suegros prefieren que sus nietos vivan pasando auténticos apuros económicos antes de que su exnuera pueda gozar de una vida digna. Incluso sé de una suegra que decía: «¡Ojalá que mis nietos pasen hambre con su madre; así cuando estén con mi hijo notarán la diferencia y le querrán más!».

Como ejemplo de delirio de odio hacia la exesposa, me cuentan que una mujer, familiar del exmarido, comenzó a realizar «trabajos negativos» —y aplico este eufemismo porque me pone el pelo de punta hablar de vudú, brujería o magia negra— contra aquella. Yo no creo en todo eso pero, *a priori*, me produce cierta prevención y precaución. En este caso, según me relatan, la pariente colocaba huevos en el congelador y, en el microondas, figuritas con pequeñas muestras de cabello de la exmujer. Así leído puede producir un ataque de risa, incluso yo comenté: «¡Fíjate..., los electrodomésticos al servicio del vudú!». Pero dio la casualidad de que mientras se llevaban a cabo estos peculiares rituales la exmujer tuvo una grave enfermedad en la piel, de origen y causa desconocidos; eso produce menos risa. Seguro que fue una coincidencia, pero estoy segura de que las vibraciones negativas nos acaban influyendo de algún modo. No facilito los nombres de las personas que me han contado sus casos y anécdotas, no quiero identificarlas, cada una es dueña de sus intimidades, pero tengo que hacer auténticos esfuerzos para no poner el nombre y dar detalles sobre la ubicación de esta persona con tan malos sentimientos y artífice de tan malas artes; sobre todo porque considero que no habrá sido la única maldad que haya usado con la intención de lograr que esta pareja se fuera a pique. Me gustaría que fuera señalada con el dedo y se avergonzara por su estupidez y por su mezquindad.

Aquí quisiera hacer una llamada de atención a suegras, suegros, cuñados y otros familiares para que no interfieran en la correcta resolución de los asuntos de una pareja. El divorcio ya es un tema difícil por sí mismo, no necesita ayudas externas. Los procesos de separación cortos y sencillos los agradecen las dos partes; si alguno, o los dos, se obcecan en llevar razón y no ceder, el sufrimiento y el desgaste salpican a todos.

También los amigos resultan afectados por un divorcio. En primer lugar, se ve mermada la cantidad: pierdes muchos por el camino, con y sin causa. Las relaciones y las rutinas con ellos también se ven perjudicadas, porque pasas de ir en pareja a participar de forma individual en las actividades y no siempre cuadran o te interesan.

En mi caso, tras treinta años casada, mi vida dio un giro radical y tuve que empezar desde cero. Bueno, de cero no, porque ya llevaba una pesada carga de angustia y desamor. Aunque asumas tus decisiones, tras un divorcio siempre hay malos momentos, siempre hay que pasar un periodo de duelo. Nadie nos enseña cómo debemos encajar las bofetadas que te dan los acontecimientos. Las decisiones están muy claras, pero lo que da auténtico miedo es enfrentarte a las realidades. Lo duro es lo cotidiano, los cambios, la creación de nuevas rutinas.

Dijo Winston Churchill: «Si estás pasando por el infierno, sigue caminando». Y eso hice: seguir mi camino. Soy vital, positiva y optimista, y he sido capaz de echarme infinidad de cosas en mi personal mochila, pero no quiero engañar a nadie, lo he pasado fatal, han sido malos tiempos. Alguien muy importante en mi vida me dijo: «Sé tú misma, rompe lo que te ata y libérate», y esta frase se convirtió en el motor de mi existencia.

ABANDONAR UNA CASA

> «Nada sabe de amor quien no ha perdido por amor
> una casa, una hija tal vez y más de medio sueldo,
> empeñado en el arte de ser feliz y justo, al otro lado de tu voz,
> al sur de las fronteras telefónicas».
>
> «Merece la pena (un jueves telefónico)», poema del libro
> *Casi cien poemas*. Luis García Montero, poeta granadino, 1999.

En un divorcio hay que establecer prioridades, no puedes tomar todas las decisiones al mismo tiempo porque unas te las marcan los acuerdos, otras tu expareja y el resto incluso el juzgado. Lo importante es que la parte que a ti te compete la lleves a cabo fríamente, sin angustia y sin estrés, conociendo qué hay que hacer y en qué orden.

En el primer momento es cuando se toman las decisiones más reales y más duras: con quién se quedarán los hijos, quién disfrutará de la vivienda, cómo se hará el reparto de los bienes, etc. Esta es una fase en la que necesitas contar con apoyos, pero han de tener claro cuál es su papel: acompañar, ayudar y asesorar, sin fomentar los ataques emocionales. Tú estás en un punto en el que lo que necesitas es paz, no gente que «intente apagar los fuegos con gasolina».

Otra recomendación que te hago durante esta etapa es que tienes que cuidarte mucho físicamente —comer bien, dormir, descansar, pasear, relajarte— porque esta es una situación que se puede prolongar en el tiempo y, si no estás fuerte, no podrás afrontarla con entereza. Sé que esta es una recomendación difícil de cumplir porque o no nos entra la comida o comemos compulsivamente y no podemos dormir. Para solucionar todo esto existen los especialistas, y hay productos que te ayudarán con la alimentación, la relajación y el sueño, siempre contando con el consejo médico. Recuerda que ahora lo primero eres tú.

Una última advertencia: no debes dejar entrever tus emociones al equipo contrario, es decir, ni a tu expareja, ni a su abogado, ni a sus amigos, ni a tu familia política. Todos ellos lo entenderán como flaqueza y será allí donde ataquen. Recuerda que esto es una contienda de intereses y, como en todas las guerras, hay derrotas y victorias. Ahora debes fortalecerte, incluso actuar si es necesario, porque la otra parte estará pendiente de las reacciones y tienes que obrar con inteligencia, de acuerdo con tus intereses y necesidades.

El divorcio es un mal trago en el que sufrimos pérdidas y cambios que nos provocan emociones negativas que tendrán influencia en el resto de nuestras vidas y las de nuestros hijos. Solo hay que tener claro que este proceso tiene un principio, pero también llega el fin. El principio lo marcan las desavenencias, el deterioro o las causas imperdonables, y el final lo marca el momento en el que tú logras recuperarte emocional y físicamente. Un buen método para controlar las etapas y no perderte ningún detalle es iniciar un relato escrito, desde el día que empieza el proceso, cuando uno de los dos abandona la casa, hasta el final: el día en que, como decía Almudena Grandes en su libro *Malena es un nombre de tango*, «ya no me acuerdo de ti».

La lucha por el ladrillo

Abandonar una casa o que tu pareja la deje se convierte en un episodio traumático, triste y sin retorno. Es el momento en el que en realidad empieza la cuenta atrás. Iremos viendo cómo cada proceso es diferente, pero siempre está lleno de pautas comunes. Todas las mujeres y hombres con los que he hablado me señalan que, tras el abandono de la vivienda común, se inicia verdaderamente el proceso de divorcio. Y la lucha por conseguir quedarse en la casa, o por dejarla atrás, es uno de los factores que provocan más fricción.

Los mayores dilemas y desacuerdos que se producen en un divorcio surgen de la disputa por la propiedad y/o el uso de la vivienda común o conyugal. En los casos de separación amistosa, los cónyuges deciden sobre este y otros temas redactando un convenio regulador que más tarde será ratificado por un juez. Estos procesos son más convenientes en todos los sentidos, sobre todo, emocional y económicamente.

No os voy a aburrir extendiéndome con demasiadas cuestiones legales, solo unos datos sobre el régimen económico que cada pareja establece en el momento del matrimonio. De otras cuestiones más concretas ya os informan vuestros abogados y abogadas mucho mejor que yo.

Aunque el divorcio no sea amistoso, los cónyuges pueden alcanzar un acuerdo, solo es cuestión de tiempo que el tema esté solucionado, porque lo que prima es la voluntad de las partes; cuando llega el acuerdo las cosas se vuelven más sencillas y menos traumáticas. Si la pareja no es capaz de establecer ese pacto, aquí empezarán muchos problemas que, con toda seguridad, necesitarán solucionarse por vía judicial Por eso, me gustaría que conocieseis las situaciones que se os pueden presentar y que estuvieseis atentas ante ciertos movimientos para evitar problemas en el futuro.

Las parejas pueden casarse en régimen de gananciales o en régimen de separación de bienes. En la primera de estas modalidades, los cónyuges deben repartirse los bienes y ganancias conseguidos, así como las deudas contraídas por cualquiera de los dos a partir del momento en el que se contrae matrimonio. Con la separación de bienes, cada uno de los miembros puede tener bienes privativos, es decir, que corresponden exclusivamente a la persona que los posee. Pueden ser bienes obtenidos con anterioridad o durante el matrimonio.

Las razones de la lucha por la vivienda son variadas y cada miembro de la pareja considera que las suyas son las de más peso para mantenerla en su poder. Se argumentan las aportaciones que cada uno haya hecho, las rutinas de su mantenimiento, el interés que se ha depositado para que la casa se convirtiera en un hogar... Pero, sobre todo, se pone la atención en dos aspectos:

Por una parte está el valor sentimental de la vivienda, dado que ha sido no solo un ámbito de residencia, sino la depositaria de los recuerdos y las vivencias de la pareja. Por otro, se encuentra el valor económico, que no es un tema menor cuando se está a punto de empezar una vida nueva y se afrontan innumerables gastos por separado. Después de los hijos, la batalla por conseguir la vivienda es el principal escollo para lograr acuerdos.

Si la pareja no tiene hijos, se trata de recurrir a la buena voluntad, un concepto que resulta muy relativo. Yo os recomiendo que todo esté firmado, «atado y bien atado», y con plazos de tiempo claros, independientemente de que seas tú o tu ex quien vaya a disfrutar el uso del antiguo hogar. Se da la circunstancia de parejas que de forma verbal llegan a acuerdos muy ventajosos con el objetivo de terminar cuanto antes con la unión y con el papeleo, y luego, una vez finaliza el proceso, «nada de lo prometido». Ahí se recurre a la ley y, mediante medidas judiciales, se trata de recuperar lo propio con rapidez. Ya sabéis: todo bien firmado, que la tristeza o el enfado no nos quiten ni un ápice de lucidez, es nuestro futuro lo que está en juego.

A veces, el juez, en estas situaciones sin hijos, puede dar el uso de la vivienda al cónyuge menos favorecido económicamente. Cuando la pareja tiene hijos menores —no importa de quién sea la vivienda o el régimen en el que se haya producido el matrimonio—, los jueces suelen otorgar el uso y disfrute de la vivienda, y lo que hay en ella, al hijo o hijos de la pareja, al menos hasta que cumplan la mayoría de edad. Así, también disfrutará del hogar familiar quien tenga la concesión de la custodia de los hijos. Los gastos de luz, agua, gas, etc., por lo general, salvo que judicialmente se diga lo contrario, corresponden a quien tiene el uso de la casa.

Fuera de los asuntos judiciales, los ya excónyuges pueden tomar una serie de decisiones ventajosas respecto a la vivienda, que evitarán discusiones posteriores y fomentarán la tranquilidad de ambos, porque este tema se quedaría finiquitado.

La venta de la casa común y el reparto igualitario del dinero conseguido, y, si la vivienda tiene hipoteca, se cancela y se comparte la cantidad restante. He visto situaciones en las que, por resentimiento, rencor y necesidad de hacer daño, una de las partes se niega a vender la vivienda para continuar estando presente en la vida de su expareja. Seguir teniendo bienes e intereses en común se convierte en una permanente fuente de conflictos. No caigas en ese error: cuanto antes se liquiden los asuntos comunes, antes empezará tu nueva vida partiendo de cero. No hay que favorecer las medidas judiciales tajantes en las que se da el uso por temporadas a cada uno de los miembros de la expareja. Conozco un caso en el que a la mujer, que trabajaba fuera de la ciudad donde se ubicaba el hogar familiar, la jueza le concedió en las medidas provisionales el uso de la vivienda los fines de semana —momento en que le correspondía estar con sus hijos— para evitar los desplazamientos del menor. El exmarido durante la semana; ella de viernes a lunes. Me contaba que él se ponía tan violento cuando el viernes tenía que marcharse, que el hijo se escondía bajo una mesa y se tapaba los oídos para no oír los insultos y los despropósitos que le dirigía a su exesposa. Creo que, por salud mental, siempre es mejor romper lazos innecesarios que mantenerlos de forma dolorosa.

También se puede dar el caso de que uno de los miembros de la pareja le compre su parte al otro, así se disfrutará del hogar con todas las garantías; además, el otro contará con una cantidad económica para empezar con mayor tranquilidad. Aquí lo importante es acordar quién se queda y quién se va, y establecer una cuantía justa y no engañar ni aprovecharse de la necesidad ajena.

Por último, sobre todo en estos tiempos de crisis económica, se puede llegar al acuerdo de compartir la vivienda, a pesar de que exista un divorcio. A veces, los jueces suelen proponer estas medidas para que los hijos no sufran las consecuencias de la separación o por la precaria situación económica de los cónyuges. Si la relación es buena, las rutinas diarias serán más sencillas, pero si la ruptura ha sido traumática, la convivencia puede convertirse en terrorífica. Cuando buscaba documentación para este libro, me contaron el caso de una pareja que no se soportaba, cada vez que se cruzaban por la casa, se dedicaban todo tipo de insultos y faltas de respeto. Para no tener que encontrarse, llegaron a establecer horarios para el uso del baño y de la cocina, donde todo permanecía guardado bajo candados. Imaginad el clima emocional en el que crecía la hija, de ocho años, de la pareja. Creo que estas situaciones propician la violencia. Si alguien creyó que así, teniendo a papá y mamá en casa, no notaría la ruptura, se equivocaba; le iría mejor viviendo tranquila con uno de los dos y viendo al otro en los tiempos indicados. Pienso que esta situación de vivienda compartida impide el inicio de una nueva vida, de nuevas relaciones, de nuevas amistades y de nuevas actividades.

Como aconsejar algo es más sencillo que practicarlo, yo no hice las cosas tan bien ni con la clarividencia que quizá ahora demuestro en estas líneas. Nunca hay que tener prisa por cerrar un capítulo de tu vida que ha durado tantos años.

Nosotros ya teníamos decididas las resoluciones sobre el papel, con una abogada común y un acuerdo previo ya redactado. Llegó el momento de la ruptura definitiva, la de verdad, donde te enfrentas al día a día, a lo cotidiano, a la soledad del día después. Estaba tan dolida y aturdida que no me mereció la pena luchar por lo económico. Hice las cosas sin pensar en lo material, aunque llegamos a un acuerdo. El apoyo de mis hijos actuó como un bálsamo para mí, nunca sabrán hasta qué punto fueron importantes en aquella época.

Tras el divorcio, permanecí en Toledo el primer año, mi hija tenía allí su colegio y su entorno, y ella ya lo había pasado lo suficientemente mal como para desubicarla tan rápido. A veces se toman medidas para que no sufran los hijos, sin pensar en nosotras, y estas nos dejan una herida profunda. De toda aquella época me ha quedado la convicción de que las decisiones hay que tomarlas meditadas, pero con determinación, sin caer en el placer de la melancolía y, sobre todo, sin rencor. No merece la pena, no conduce a nada y, además, ya sabéis que el odio y la rabia favorecen la aparición de canas, arrugas, insomnio, estrés y problemas de salud.

Yo, siempre positiva, pienso que lo que no nos mata nos hace más fuertes.

LA LUCHA POR EL TEMA ECONÓMICO

«El amor, para que sea auténtico, debe costarnos».

Madre Teresa de Calcuta (1910-1997), monja albanesa y premio Nobel de la Paz.

Hay tantos problemas económicos ocasionados por el divorcio como rupturas. Muchos de esos tejemanejes monetarios los seguimos a través de los medios de comunicación; así nos enteramos de las rupturas de Donald Trump, Antonio Banderas y Melanie Griffith, Tom Cruise y Katie Holmes, Madonna, Jennifer López, etc.

Cuando empieza un proceso de divorcio, nos sentimos tan dolidas y abatidas que consideramos que luchar por los asuntos económicos supone caer muy bajo. Después de todo, tenemos tan roto el corazón y la autoestima que pensar en el dinero nos parece un asunto menor. Conforme van pasando los días, semanas, meses, o incluso años, el tema del dinero va adquiriendo un total protagonismo, precisamente a causa del argumento anterior: si ya estamos hundidas emocionalmente, no vamos a dejarnos caer también desde el punto de vista económico; debemos impedir que también nos hundan, literalmente, en la miseria.

Me decía una amiga que acudió un día a hablar con la abogada de su exesposo que los primeros siete temas de conflicto que aparecían en el listado del acuerdo que le proponían negociar eran cuestiones económicas. El punto número ocho era la custodia del hijo de la pareja. A este asunto hay que darle la importancia que merece: no por negociar duramente los términos económicos vamos a perder ni un ápice de nuestro *glamour*.

Tenemos que espabilar, se puede ser buena persona, pero no hay que llegar a la estupidez. Al final, estamos luchando por cómo va a ser el presente y el futuro de nuestros hijos y el nuestro propio. Si hay hijos por medio, es necesario que los dos penséis primero en ellos y reduzcáis al máximo su participación en las negociaciones. Antes de tomar cualquier decisión pensad que los acuerdos a los que lleguéis sin disputas repercutirán positivamente en ellos.

Pese a parecer que las mujeres salimos siempre mejor paradas en los procesos de divorcio, esto es algo completamente incierto. La mujer suele quedarse con la custodia de los hijos, lo que conlleva en bastantes casos el disfrute de la vivienda. Pero deberá mantenerlos, en algunos casos con cantidades irrisorias, entregadas en calidad de pensión por alimentos. Y, si trabaja, nada de pensión compensatoria. Además, asume la organización diaria de la familia, es decir, tiene a los hijos, pero no tiene vida para ella misma.

Tenemos a los hijos, pero nuestra vida se detiene y dejamos de lado la actividad social para rellenar la totalidad del tiempo de los nuestros. No hay posible relación que aguante solo con citas una tarde a la semana y un fin de semana cada dos. Frente a esto, nuestros ex probablemente se pierdan algunos hechos relevantes de las infancias de sus hijos, pero tendrán las semanas libres para poder rehacer sus vidas, no necesitarán dejar de lado su actividad social y solo asumirán la mitad de las obligaciones que implica la familia. Porque quiero volver a recordar que uno no se divorcia de sus hijos ni de sus responsabilidades, solo de su pareja.

¿Cómo se cuantifica económicamente el tiempo que las madres dedican a sus hijos? Las mujeres asumimos voluntariamente la mayoría de los sacrificios y renuncias que la custodia de los pequeños conllevan. Hablando con una abogada de familia, me decía que las mujeres, a cambio del tiempo que dedicamos a nuestros hijos, recibimos «besos, abrazos, avances diarios y momentos afectivos puntuales». Por decirlo crudamente, nosotras nos quedamos con el lote completo (hijos + responsabilidades + falta de tiempo libre), mientras ellos rehacen sus vidas con mayor facilidad.

He señalado ya que existe una problemática diferente por cada pareja que toma la decisión de divorciarse. Aquí os describo algunas de las situaciones generales por las que pasan las mujeres.

— Las que trabajan fuera del hogar como unas *descosidas* porque su ex no les paga ningún tipo de pensión, por negligencia o por insolvencia.

— Aquellas que durante el matrimonio no trabajaban y ahora tienen que salir al mercado laboral porque, con la pensión que reciben, no pagan ni la alimentación familiar.

— Las que viven con unas pensiones justas porque durante el matrimonio supieron prevenir sus posibles problemas futuros.

— Las que luchan porque los padres sigan teniendo relación con sus hijos y mantengan sus responsabilidades. Porque, a veces, los padres empiezan vidas nuevas y olvidan las anteriores.

— Las que se niegan a conceder los divorcios y evitan que sus exmaridos rehagan sus vidas, presentan querellas constantemente y abren procesos judiciales con causas inexistentes para andar fastidiando a perpetuidad.

— Las que tienen que estar pendientes de que el patrimonio de sus hijos no se dilapide en manos de la primera que le haga cuatro halagos a su exmarido.

— Las mujeres que sufren un divorcio total, es decir, que no vuelven a ver ni a saber nada de sus exparejas, y tienen que hacerse cargo del cien por cien de las necesidades económicas y emocionales de sus familias.

He visto pensiones indecentemente bajas y pensiones indecentemente altas, en muchos casos no utilizadas en el bien de los hijos. Estas cuantías se negocian cuando el ex está deseando abandonar la relación y, si la situación económica resulta buena, es capaz de firmar casi cualquier cosa. Conozco pensiones de alimentos y compensatorias que superan los sueldos de *bienpagados* directivos y van destinadas a mujeres que se pasan la vida viajando y dedicándose a sus mejoras estéticas; hay ejemplos de todo, como veréis.

Si piensas que no vas a tener un divorcio sencillo, aquí te hago una serie de recomendaciones que te servirán, si no para solucionar todos tus problemas, sí para protegerte ante situaciones desagradables:

— Controla tú misma tus propios asuntos económicos: cuentas corrientes, tarjetas de crédito, declaraciones de impuestos, etc.
— Controla el dinero, si es que poseéis cuentas conjuntas, pero nunca realices cambios de titularidad o movimientos económicos sin contar con asesoramiento legal.
— Vigila los gastos que se puedan realizar con tarjetas de crédito que tengáis en cuentas en común.
— Controla las deudas que tengáis de forma conjunta y, por supuesto, no realices con tu ex ningún tipo de inversión.
— Cuida de que no se venda sin tu consentimiento ninguno de los activos que tenéis en común (coches, viviendas, garajes, etc.). Tampoco realices tú ninguna venta por tu cuenta porque podría volverse en tu contra.
— No solicitéis préstamos de forma conjunta.
— No firmes ningún documento sin recibir el asesoramiento de un abogado de confianza, uno que vele solo por tus intereses, no por los intereses comunes.
— Mantén en un sitio de confianza, a ser posible fuera del domicilio común, tus documentos importantes: escrituras de propiedad, documentos personales, familiares y bancarios, testamentos, pólizas, planes de pensiones, papeles del coche, seguros, etc.
— Pon a buen recaudo todas las cosas personales con valor económico y/o sentimental susceptibles de pérdida o deterioro: joyas, fotos, recuerdos familiares, libros, arte, antigüedades, etc.
— Revisa los beneficiarios de tus seguros, pólizas o testamento.
— Documenta y realiza un listado de los bienes tuyos o comunes que puedas tener en tu vivienda.

— Realiza fotografías o grabaciones del contenido de tu vivienda.

— Piensa en la posibilidad de recibir tu correspondencia bancaria y personal en otro domicilio diferente al común.

— Cambia las claves de teléfono, correo electrónico, redes sociales, ordenador, números bancarios, etc., si son conocidas por tu ex.

— Realiza copias de la documentación de propiedades, de recibos y resguardos que aclaren y faciliten situaciones que exijan pruebas en un futuro.

— Guarda copias de todos los correos electrónicos, SMS, mensajes de voz, etc., que recibas en los momentos previos, durante y después de un divorcio; algunos podrán tener valor documental ante posibles problemas.

— Si tenéis sociedades comunes, inicia el proceso de valoración de las mismas, no asumas cualquier informe que te impongan, sino los realizados con valoraciones justas.

— Reduce al máximo tu participación y la de tus hijos en situaciones económicas de riesgo con tu expareja.

— Lo mejor que puedes hacer es contar con el asesoramiento de un buen abogado o abogada que gestione todos tus intereses y te elabore una hoja de ruta respecto de las decisiones a tomar.

Tras un divorcio, hay que marcarse un nuevo presupuesto y unas nuevas prioridades basados en los ingresos individuales, incluyendo las pensiones, y tomando en cuenta los gastos familiares. En la mayoría de los casos, será necesario que ajustes tu estilo de vida y reduzcas gastos innecesarios, a la espera de situaciones que cambien a mejor. Gastar más allá de tus posibilidades recurriendo a préstamos o tarjetas de crédito es un error que solo empeoraría tu situación. Hay que vivir el momento, y las mujeres sabemos mejor que nadie adaptarnos a lo que nos toca.

LA IMPORTANCIA DE LOS AMIGOS EN UN DIVORCIO

«En todo matrimonio que ha durado más de una
semana existen motivos para el divorcio. La clave consiste
en encontrar siempre motivos para el matrimonio».

Robert Anderson (1805-1871), político y diplomático
estadounidense.

Hemos visto que se producen complejos cambios en todas las estructuras que nos rodean (familiar, social, económica, etc.), pero lo primero que hay que asumir y aceptar, aunque parezca una obviedad, es el divorcio en sí mismo. Hay mujeres que, tras la confusión inicial y la asunción de un sinfín de responsabilidades, no se dan cuenta de que el cambio más importante es que el matrimonio ha terminado y que ahora inician un camino solas. Solas para opinar, solas para decidir, solas para acertar, solas para equivocarse, solas para cambiar o para estabilizarse, solas para todo.

Despertarse un día y ver que tu vida ya nunca va a ser como antes —ni mejor ni peor, solo diferente— no es una situación fácil de asimilar. Al principio, mucha gente está a tu lado, luego, cada vez vas pasando más momentos sin nadie. En los comienzos de tu nueva situación, es relajante encontrar tu tiempo y tu espacio para hacer esas pequeñas cosas que te gustan y que se habían ido quedando atrás por la dinámica de las cosas en pareja. Luego pesa más la soledad. Como tras la tempestad viene la calma, hay un día en el que la vorágine de papeleos y decisiones termina. Entonces debes evitar que la sensación de soledad y la realidad te sepulten.

Es necesario que sepas que divorciarse es muy normal, que le ha pasado a mucha gente antes que a ti y que les seguirá pasando a otras muchas personas cuando tú ya lo tengas superado. Un sacerdote, profesor de religión de un colegio, me comentaba que en sus clases ya casi no quedaban alumnos con el modelo de familia tradicional. Me aseguraba que «encontrar a un chico con un padre y una madre casados en primeras es casi una rareza. Los hay separados, divorciados, solteros, recasados, tricasados, juntados, de todo menos de lo que era normal y abundante antes».

La diferencia es que no a todas las mujeres nos afecta la separación de la misma manera; no debes compararte emocionalmente con nadie, porque cada una tenemos nuestra escala de valores y nuestros tiempos. Siempre tendrás la sensación de que los progresos que tú vas haciendo resultan demasiado lentos; eso es lo de menos, lo importante es que tengan como meta la superación del proceso en sí.

Busca nuevas relaciones, nuevas actividades y evita todo lo que te provoque recuerdos dolorosos. Rodéate de personas positivas, de amigas y amigos que te faciliten la vida, estos momentos son muy difíciles para pasarlos sola, no te aísles.

A los amigos, desde que empieza hasta bien pasado un divorcio, se les utiliza como al diván de un psicólogo, pero más barato: ¡tras la separación no estamos para hacer muchos gastos, ni siquiera invirtiendo en nuestro propio bienestar! Si ellos no te buscan, tienes que hacerlo tú, este no es tiempo de falsos orgullos o de *postureo*.

Los amigos también tienen que adaptarse a la nueva situación, ideando nuevas formas de relación o pactando acuerdos con cada uno de los ex, si es necesario, para evitar hacer y recibir daños.

Porque un buen amigo es aquel que…

— Trata de mantenerse neutral con sus comentarios hacia las actuaciones o las decisiones del otro cónyuge y, si es imposible y es necesario que se decante por uno o por otro, no jugará con ambos sacando partido.
— Le demuestra lealtad al miembro de la pareja con el que existe un vínculo más estrecho. El amigo leal no ejerce de tercer vértice de un triángulo.

— Escucha, sin juzgar.

— Contribuye calmando los ánimos, no se convierte en un pirómano de la relación.

— Aconseja cuando se lo piden, porque puede que solo sea necesario que escuche los sentimientos o las experiencias.

— No es el que te dice siempre lo que quieres escuchar, sino el que te da el punto de vista más objetivo.

— Te centra cuando tú tienes la tentación de echarle toda la culpa al contrario.

— No necesita una excusa para hacerte una llamada; ahora más que nunca necesitas apoyo, talento y comprensión.

— No desvela, aunque tenga la ocasión, nada de lo que se le ha contado en una situación de confianza.

— Nota que estás a punto de derrumbarte y te ayuda a evitarlo.

— Crea para ti actividades que te ayuden a olvidar, aunque sea por unos momentos, la situación que estás viviendo.

— Se ofrece para colaborar en alguna de tus responsabilidades (cuidado de tus hijos, tareas, papeleos, etc.), para que tú puedas contar con un poco de tiempo libre, aunque sea para poder lamerte las heridas en soledad.

— Te está aguantando el rollo de tus penas cuando lo que le apetecería, en realidad, sería, probablemente, estar en otro sitio.

— Te dice que tienes que pasar por un periodo de duelo, de reflexión y de paz, para poder recuperar las ganas de comerte el mundo.

Mis primeros años fueron difíciles. Tras el año de Toledo, me trasladé a vivir a Madrid, otra vez iba con las maletas y la casa a cuestas, pero no sola. En todos estos procesos, además de mis hijos, mi madre, mis hermanos (Patricia y Manuel), estuve apoyada por amigas y amigos, no muchos, bastantes menos de los que aparecían en mi agenda antes del divorcio; eso sí, amigas y amigos incondicionales que no me dejaron caer en los momentos de tristeza. Me gustaría poner aquí el nombre de todos, no lo haré por discreción, pero ellos saben quiénes son.

Tampoco me dejó sola la corte de *paparazzis*, periodistas, fotógrafos y demás personal del gremio que me inventaron mil y un romances con famosos, desconocidos, amigos y maridos de amigas. Hubo momentos de huidas y persecuciones, pero reconozco que tuvo su puntito divertido. A todos ellos les agradezco aquella demostración de interés.

CÓMO SE REPARTEN LOS AMIGOS

> «De repente, no más que de repente, se volvió triste lo que fuera amante, y solitario lo que era feliz. El amigo próximo se volvió distante, la vida se volvió una aventura errante, de repente, no más que de repente».
>
> «Soneto de la separación». Vinicius de Moraes, músico brasileño, 1938.

Os he comentado que este no es el momento de demostrar que somos muy fuertes o que somos perfectas. Las mujeres tenemos tendencia a querer dejar claro que podemos sacar todo adelante sin ningún tipo de ayuda. ¡Pues este no es el momento para hacerlo! El divorcio no supone una mancha en nuestro currículum, no dice nada bueno ni malo de nosotras, solo refleja que una situación que por diversas causas no funcionaba se ha terminado. Tampoco es necesario salir en tromba a decirle al mundo que no somos las culpables de la ruptura, simplemente hay que asumir que nuestro matrimonio se rompió, que tendremos nuestro porcentaje de responsabilidad por ello y que hemos de superar una situación que ahora nos daña pero de la que saldremos más fuertes.

A causa de las rupturas tendemos a encerrarnos en nosotras mismas, lo que supone un gran error. Hay que aprender que con quien no podíamos vivir era con nuestra expareja, no con el resto del mundo. No se es menos fuerte ni menos independiente por demostrar necesidad de compañía, especialmente de los amigos; se dice que «los amigos son la familia que escogemos».

Existen diferentes tipos de amigos. Por una parte, están los propios. Generalmente informados de la situación de la pareja, por lo que suelen tomar partido por tu causa, a veces incluso queriendo influenciarte sobre sentimientos o decisiones. Aconsejo a los amigos que estén en buena disposición que solo aconsejen en positivo y que solo sumen. En un divorcio ya hay bastantes restas como para escuchárselas también a tu propia gente.

Hay amigos propios que pretenden mantenerse neutrales. He contemplado casos de algunos que siguen quedando con el otro miembro de la pareja, pero me cuentan que han tenido que cortar las citas porque estaban constantemente escuchando críticas sobre su amiga, y no era eso lo que ellos pretendían. Siempre serán nuestros amigos, ¡sobre todo porque saben mucho de nosotras!

Por otra parte, están los amigos de él, cuya reacción es similar a la de los amigos propios. Unos pocos se quedan contigo, la gran mayoría se quedan con él y te enteras de que muchos están cargando contra ti. Un número muy pequeño se mantiene neutral, y algunos simplemente desaparecen de tu vida, lo que no debe darte mucha pena: no serían para tanto si reaccionan así y te olvidan con esa ligereza.

Además, están los comunes, los que ya han ido apareciendo mientras la pareja funcionaba y disfrutaba de los buenos tiempos. Estos suelen mantenerse a tu lado en una proporción del 50 % más o menos. Se dan casos en los que miembros de algunas parejas apoyan cada uno a un excónyuge, y esto ya es la esquizofrenia misma, con el envío de mensajes cruzados entre uno y otro, usando a los amigos.

Creo que nunca debe abusarse de los amigos, no hay que ponerlos en la tesitura de tener que elegir porque eso les creará problemas. El divorcio no nos debe convertir en egoístas compulsivas. Es mejor agradecer las ayudas que obligar a que se produzcan.

Luego están los amigos y amigas que continúan en pareja, con los que a veces compartes actividades como antes hacías, aunque ahora empiezas a notar que te miran de otra forma. Me explicaré: al principio todos ellos manifiestan hacia ti un sentimiento de pena, estás sola y, por eso, consideran que desprendes cierto aire de desamparo. Pero hay un día en el que esa sensación cambia y para tus amigas casadas te conviertes en una «soltera con peligro». Está claro que muchas mujeres divorciadas, pasado un tiempo de duelo, quieren volver al mal llamado «mercado» (denominación que me horroriza porque me suena a venta de carne) o a lo que otros llaman el «ruedo». Para poner en marcha este retorno, invertimos interés y dinero con la intención de sentirnos en forma de nuevo, asunto que desequilibra a nuestras amigas casadas, que nos ponen la señal de «¡peligro: amenaza soltera a la vista!». También los amigos casados pueden empezar a mirarte de otra forma, hasta llegar a producirte incomodidad. Los emparejados seguirán ahí, pero pronto empezarán a producirse situaciones con las que te encontrarás a disgusto, surgirán planes que no te parecerán atractivos en tu nueva situación o bien comenzarás a escuchar comentarios que te harán sentir molesta. Vamos, en resumen, que no te divertirán nada, ni tú a ellos, y dejarán de incluirse en tus planes más cercanos.

Por último, están los conocidos, personas que de una u otra forma tienen contacto con la expareja, pero que no pueden considerarse amigos. En este apartado entran las personas con las que tienes relación por trabajo, por actividades de tus hijos, por asuntos familiares, etc. Aquí hay reacciones de todo tipo y no son desdeñables. Si el profesorado de tu hijo, los padres y madres de sus amigos, los compañeros de trabajo de ambos, los del banco o los de la compañía de seguros toman partido por uno o por otro le suelen crear problemas de incomodidad al que no ha sido elegido. En una época en la que estás más vulnerable, el hecho de recibir o no recibir ciertos apoyos puede equilibrarte y ayudarte o todo lo contrario.

Olvida la edad de tu DNI

> «Conserva celosamente tu derecho a pensar, porque incluso el hecho de pensar erróneamente es mejor que no pensar en absoluto».
>
> Hipatia de Alejandría, filósofa, maestra, matemática y astrónoma del siglo V.

Y toda esa revolución la viví pasados los cincuenta años. Nací en el año 1958, esta es la fecha que aparece en mi DNI, pero esto no significa que haya entrado como socia en un club con estrictos criterios. Es cierto que la edad es más un estado de ánimo que números reales, pero esta frase no la decíamos con veinte, ni con treinta, ni con cuarenta; empezamos a pensarla entrando en los cincuenta.

Si comento en voz alta «tengo más de medio siglo» la verdad es que la frase impresiona; si además pienso que soy abuela de tres nietos, parece que, a todos los efectos, la vejez se me ha echado encima. Pero no es así, una vez asumido el golpe, me doy cuenta de que es ahora cuando soy capaz de hacer muchas cosas que antes, por edad, economía o convencionalismos sociales, ni se me hubiera ocurrido plantearme, en cambio ahora me veo más que capaz.

Eres lo mayor que te sientes; yo catalogo como mayores a los que tienen al menos veinte años más que yo, es una forma como otra cualquiera de autosatisfacción generacional. Llegada esta edad, lo mejor es reírse de cómo fuimos, de cómo nos preocupábamos por tonterías, de qué cosas podíamos y no podíamos hacer, hasta de cómo éramos físicamente. A los cincuenta y siete años me veo situada en el segundo acto de este teatro inesperado y cambiante que es la vida, pero sin ninguna prisa por llegar al tercer acto, que es aquel en el que se supone que se alcanza la solución de las intrigas y en el que se encuentra la clave de todo, especialmente porque después de esto llega el final y no tengo ningún interés en pensar en él.

Yo soy una persona progresista y tolerante, que cree en el mundo real y en las personas más que en otras posibilidades. No soy una persona religiosa, solo creo firmemente en la Providencia, como una ley no escrita que rige el mundo y te pone en determinados sitios para que logres unos fines, y te quita de otros para evitarte daños. Platón ya habló de ella, y San Agustín la planteó en su vertiente religiosa, la Divina Providencia, enfocándola al poder de Dios.

La Providencia es el orden marcado en los acontecimientos que regirán nuestros destinos. Yo soy más práctica y, a este asunto de la Providencia, le pongo algo de carácter para no caer en la pasividad de esperar lo que está escrito para mí. Creo que la Providencia me tiene que pillar trabajando por mi bienestar, mi alegría y mi futuro. La vida nos somete a constantes desgastes y hay que conservar una inmensa capacidad para ser feliz, pero esto no se hace solo.

Mi madre siempre dice que «la mejor medicina es la alegría». Esa es una de sus máximas y, desde que tuve edad para entenderla, también una de las mías. Aunque os he puesto al corriente de algunos de mis peores momentos, siempre aplico el «visor positivo» para salir adelante ante los problemas. Cada día, al despertarme, pienso en tres cosas por las que dar gracias; me sirve de motivación y de recarga de energía positiva. Voy variando los argumentos y esto me hace empezar cada jornada con la dosis suficiente de optimismo para lograr mi equilibrio emocional y el coraje para luchar por que salgan adelante y se cumplan mis expectativas.

BUSCO MI PROPIA IDENTIDAD

> «Las personas más bellas que me he encontrado son
> aquellas que han conocido la derrota, conocido el
> sufrimiento, conocido la lucha, conocido la pérdida, y han
> encontrado su forma de salir de las profundidades. Estas
> personas tienen una apreciación, una sensibilidad y una
> comprensión de la vida que los llena de compasión,
> humildad y una profunda inquietud amorosa. La gente
> bella no surge de la nada».
>
> Elisabeth Kubler-Ross (1926-2004), psiquiatra y escritora.

Cuando era más joven me producía inquietud la idea de no poder, algún día, hacer las cosas como me había marcado y que quedaran inacabados proyectos, tanto en el terreno personal como en el profesional. Conforme he ido cumpliendo años, la consciencia de las cosas conseguidas me ha proporcionado la tranquilidad necesaria para saber con certeza que luchar merece la pena, que hay que marcarse el objetivo de aprender y crecer. Los cincuenta años pueden ser el puente que marca la equidistancia entre lo vivido y lo que queda por delante, si no en cantidad, sí en calidad de tiempo. Todo este proceso no me produce angustia, aunque reconozco que construir una vida plena y con contenido no es un trabajo fácil. Es más sencillo caer en la tristeza y la desgana que permanecer en estado de esperanza y dignidad. Mi secreto es mantenerme activa y ocupada, así parece que nunca doy tiempo a que entre en mí la inercia de la vejez.

Dicho lo anterior, de vez en cuando, por salud mental, necesito hacer un alto en el camino para ubicarme o recomponerme si es necesario. Adquirí esta costumbre en épocas en las que he tenido cerca a personas que pretendían marcarme una ruta que no era para mí. Entonces paraba, reflexionaba y elegía la mejor opción para mi estabilidad emocional.

Entenderéis que la parada más larga que realicé fue durante la etapa posterior a mi divorcio, ¡ahí sí que necesité recomposición personal! Pero lo mejor que hice fue darme tiempo y espacio, las mujeres eso lo administramos bien.

La recuperación del tono físico y del equilibrio emocional después de una ruptura de treinta años no es tarea fácil. Cuento con una ventaja: me encanta la soledad, soy capaz de ocupar las horas en las cosas más diversas y no considero que pasar tiempo sola sea nada traumático. Una amiga me dijo que después de un divorcio hay que pasar un duelo y someterse a una «dieta de relaciones». Tenía razón y le hice caso. Fue esta una época en la que tuve que emprender una importante transformación personal, asumir las equivocaciones y recomponer mi autoestima. Si esto no se hace bien, en el futuro habrá situaciones en las que aparecerán inseguridades cuando menos las esperes y surgirá el miedo a repetir errores pasados.

Soy una persona con las ideas muy claras, me considero afortunada y la superación de obstáculos me ha ayudado a madurar emocionalmente. En lo cotidiano, no me gusta correr ni precipitarme; al contrario, prefiero ser reflexiva y dar tiempo al tiempo. Por eso me benefician tanto esas «paradas técnicas personales» que llevo haciendo desde hace años. Al principio, como imaginaréis, duraban poco, casi el tiempo justo para coger impulso y enfrentarme al reto siguiente. Actualmente, ya convertidas en auténticas «jornadas de exploración interior», los rituales van durando más y van siendo más completos. La causa no es otra que, conforme vas cumpliendo años, la vida te va exprimiendo más y más.

Estos paréntesis vitales suelo realizarlos tanto en lo que afecta al aspecto existencial, como a la apariencia física. Tras épocas de estrés, mi cuerpo y mi mente necesitan una limpieza y puesta a punto a fondo que incluye diversas fases.

Si hablamos del cuerpo: comida ligera, muchos líquidos, cortos espacios de ayuno, ejercicio moderado (el conveniente en cada momento), periodos de estancia en casa para cuidar mi piel y mi cabello. También es importante dosificar las comunicaciones: solo los ineludibles asuntos familiares. Todo esto lo podemos complementar con buen cine, buena lectura, buena música y buena compañía, que ayudan un montón. Estos sencillos trucos, que os detallaré más adelante, hacen que recuperemos el tono vital, el humor y la energía para volver a las batallas diarias. Es como tener unas vacaciones de unas pocas horas o de fin de semana.

Si hablamos de relajación mental, cuando tengo etapas de duros problemas me gusta realizar un *juego de relativización* que consiste en preguntarme: «¿Realmente esto es absolutamente necesario en mi vida?, ¿consiguiendo esto voy a ser más feliz o voy a estar más plena?, ¿es necesario que yo dedique mi tiempo a esto?, ¿merece la pena que yo siga en este tema o que lo deje a un lado y siga adelante?». Estas y otras preguntas me sirven para saber si me encuentro en lo cierto o voy al error de cabeza; me ayudan a priorizar y a no marcarme objetivos que, por inalcanzables, me impidan ser feliz. Estos paréntesis no es necesario pasarlos encerrada y sola, a veces es conveniente rodease de personas positivas que colaboren con nuestra salud emocional y nos hagan reír. Si hay algo que me beneficia de forma increíble es la risa, incluso reírme de mí misma. Está probado que al reír se activan partes del cerebro que contribuyen a nuestro bienestar. Existe la creencia de que la felicidad solo se consigue cuando se alcanzan grandes objetivos, pero, en realidad, se encuentra en las pequeñas cosas que nos permiten aprender.

Mi vida ha estado macada por los cambios: de país, de costumbres, de vivienda, de ciudad, de modos y maneras, incluso de forma de familia. He hecho todo lo posible para adaptarme bien, para formar parte de cada lugar y no sentirme ajena, para poder disfrutar y empatizar con los demás. He cometido errores y he aprendido que no hay que volver a hacer mal las mismas cosas y sentir un daño ya conocido. Ahora afronto todo de forma diferente. Alguien me dijo una vez que en la vida, si te dejas llevar por la inercia, siempre te rodearás del mismo tipo de personas y acabarás tropezando una vez tras otra en la misma piedra emocional. Ahora estoy atenta para no reproducir conductas que me han causado dolor y tristeza. Nunca se puede bajar la guardia.

Os contaré algunas de las normas de mi ideario particular; espero que os ayuden.

Ante todo, busco rodearme constantemente de gente que me transmita buenas ondas y me genere confianza. Me gustan las personas que se alegran de mis éxitos. Trato de impedir el acercamiento de «gente tóxica» (envidiosos, manipuladores, chismosos, autoritarios, pesimistas, celosos, acaparadores, frustrados, mezquinos, roñosos, vagos, derrotistas, vanidosos y demás fauna dañina, en masculino y femenino). Son personas a las que les gusta interferir en la estabilidad emocional ajena, tratan de empequeñecer a los demás y minar la autoestima, y solo cuando consiguen eso se sienten realizados. Me encuentro en un momento de mi vida en el que yo decido quién me acompaña.

Para mí es importante verbalizar los sentimientos y las emociones; para ello hay que saber utilizar correctamente dos palabras: «sí» y «no». Lo más importante que aprendí al llegar a los cincuenta fue a decir «no», sin medias tintas ni eufemismos.

En mi día a día he dejado a un lado la ansiedad, la ira y el resentimiento. El agravio y el rencor no construyen, pero te devoran por dentro.

También me parece importante mantener en mi vida la coherencia entre lo que pienso y lo que hago.

Por otro lado, pedir ayuda cuando me hace falta. No soy soberbia y no tengo ningún problema en demostrar lo que necesito. Después hay que saber agradecer el apoyo recibido.

Me gusta poder demostrar el amor. Soy cariñosa, atenta y detallista con las personas que me importan, no quiero tener filtro alguno para manifestar el amor.

Para mí es fundamental, igualmente, saber qué batallas son las que debo librar en realidad; no debo entrar al trapo de cada pequeña aspereza ni involucrarme en asuntos que no son míos.

Además, saber escuchar y que me escuchen. No aguanto las charlas eternas que se convierten en monólogos, con personas que solo saben hablar de sí mismas. Esas conversaciones en las que todas las frases empiezan con un «yo...» o con un «a mí...».

Quiero asumir mis errores y no caer en la tentación de culpabilizar a nadie de lo que me pertenece. Conocer mis tropiezos supone el mejor método para hacer borrón y cuenta nueva rápidamente.

Perdonar para poder seguir adelante con la vida y no facilitar la negatividad es también importante. Ahora bien, perdonar es positivo, pero no es bueno olvidar las ofensas ni a quienes nos las hicieron, para no caer en la posibilidad de dar oportunidades a los que ya nos han infligido daños definitivos.

Dice un proverbio zen: «Muévete y el camino aparecerá». Gran verdad: cuando tienes claro el objetivo es más fácil trabajar por el éxito. A mis cincuenta y siete años estoy en constante movimiento, y mi camino va apareciendo con cada paso que doy.

2
EL FINAL DEL AMOR

POR QUÉ SE ACABA EL AMOR

> «¿Por qué ya no me baila un gusano en la tripa
> cuando suena el teléfono y escucho su voz?
> ¿Por qué no me arreglé para la última cita, y no usé su
> perfume ni me puse tacón?
> ¿Por qué ya no es mi tipo, por qué no es lo de
> siempre, cuando quedamos juntos y nos vamos a un bar?
> ¿Por qué ahora necesito estar con mucha gente y
> cuando estamos solos no le quiero besar?
> Será que la rutina ha sido más, más fuerte, se han ido
> la ilusión y las ganas de verte.
> Pero me cuesta tanto decirlo a la cara, aguanto un
> poco más o lo echamos a suertes.
> Será que nuestra vida ya no es diferente, hacemos todo
> igual que el resto de la gente.
> Pero me cuesta tanto decirlo a la cara, aguanto un
> poco más o lo echamos a suertes».
>
> Canción «Lo echamos a suertes», del grupo Ella Baila Sola,
> 1996 (letra: Marta Botia).

Cuando estamos enamorados todo viene rodado, no hay que hacer nada, solo sentir. Tenemos constantes ganas de estar con el otro, sus detalles nos llenan de felicidad, la pasión se respira en cada minuto que pasamos en su compañía y queremos constantemente su contacto físico. El amor hace que creamos que la otra persona tiene todo lo que necesitamos y soñamos, que es perfecto para nosotras, así, todo lo que tiene relación con él nos inunda de bienestar.

Pero, lamentablemente, esa etapa de enamoramiento acaba. Expertos en la materia hablan de que, en el mejor de los casos, esta fase que te hace sentir que caminas sobre nubes dura entre tres y cuatro años, después las sensaciones empiezan a remitir, parece que nuestra pareja ha cambiado y la realidad nos cae como una losa. Hay que pensar que también es posible que las personas no cambien, que es probable que nunca fueran lo que nosotras imaginamos. En el paso que damos del enamoramiento al amor real, si no se hacen grandes esfuerzos por remediarlo, las parejas tendrán que afrontar el final de la pasión e, incluso, puede llegarse a la ruptura.

Terminada la fase inicial, se hacen evidentes los defectos y las limitaciones de tu pareja; deja de ser «el amor perfecto con un 10 de puntuación» y se convierte en una persona normal, con días buenos y malos. Las mariposas de nuestro estómago se marchan y llegan la rutina y la normalidad. Esto no tiene por qué significar el fin del amor: terminado el ensimismamiento y los suspiros, las parejas pueden mantener realidades románticas, rutinas que les hagan felices, pueden continuar deseándose, seguir sintiendo complicidad y emociones juntos y amarse todavía en lo bueno y en lo malo.

El amor es generoso, duradero, gratificante, y puede ser más pleno que el enamoramiento, ya que no es tan absorbente e irreal. Para que una pareja siga funcionando es importante que hayamos hecho bien el paso del enamoramiento al amor, si es así perdurará y mantendrá claros sus intereses y expectativas en común. Una pareja que se ama tiene que tener unos valores comunes y unas expectativas temporales, al menos, similares; esto señala un síntoma de unión. Las parejas pasan por un momento importante, que puede hacerse explícito verbalmente o sin palabras: aquel en el que deciden que los dos se comprometen, en el que aceptan que ninguno va a seguir buscando a otra persona diferente de la que está a su lado porque con ella tiene cubiertas las necesidades de cariño y compañía. Este es un compromiso basado en el amor y en la confianza y, según sea la unión —matrimonio religioso, matrimonio civil o unión de hecho—, será distinto; ideológico (si es religioso) o moral (si se trata de un enlace civil o hablamos de una pareja de hecho), pero siempre se tratará de un compromiso afectivo y real.

Si uno de los miembros de la pareja no ha realizado bien este tránsito, es cuando empiezan las comparaciones, siempre tan odiosas, y en este tema no son una excepción. El principio del fin comienza cuando se pronuncian frases como «ya no siento lo de antes», «le quiero, pero no estoy enamorada», «podemos seguir siendo amigos, pero no amantes», «ya no le aguanto», «no siento ninguna emoción al verle», «hay cariño, pero necesito volver a sentir amor». Digo el fin porque, cuando pasamos de ver que alguien resulta perfecto para nosotras a manifestar que no le aguantamos es porque algo se ha perdido por el camino, y hemos dejado de sentir ese amor generoso, paciente y gratificante. Os recuerdo que durante el enamoramiento los sentimientos salen solos, pero que en el amor hay que trabajar y luchar por mantener lo que amas. En una pareja que se quiere, el amor puede ser más o menos intenso, puede haber épocas de altibajos e incluso profundas crisis; en las relaciones nunca hay garantías porque no todos los días son de vino y rosas. Cuando llegan esas rachas, la unión se pone a prueba: o el bache se supera o la brecha se convierte en definitiva.

El motivo más frecuente para que una pareja termine es que uno de los dos deje de sentir amor hacia el otro; entonces abandona la lucha por conseguir su afecto. Las causas por las que el amor se acaba son tan variadas y numerosas como parejas hay. He tratado de sintetizar las más comunes; puede que os sintáis reflejadas en alguno de los ejemplos a los que aludo a continuación.

La primera dificultad puede llegar por la falta de comunicación. Comunicarse no quiere decir hablar de lo cotidiano, del trabajo, de los problemas, de la familia o de la economía, sino de lo que sentimos o de lo que siente el otro. A veces tenemos miedo a hablar de sentimientos con nuestra pareja, porque se corre el riesgo de que salgan a la luz nuestras propias carencias y defectos. Hay que hablar sin miedo si queremos que la relación vaya evolucionando al ritmo de nuestras transformaciones individuales.

En relación con lo anterior, diré que, si no hay complicidad ni existe la misma intensidad respecto a los sentimientos, parece que uno quiere más que el otro.

En cuanto a la intolerancia al sexo y a la intimidad, si el sexo es una de las formas más importantes de demostración de amor, pasión y entendimiento en una pareja, el hecho de no practicarlo se convertirá en una señal inequívoca de alejamiento y desgana.

Si la rutina y el aburrimiento se instalan en el día a día de la pareja, puede producirse el fin de la relación. Tampoco es que todos los días tengan que convertirse en una constante aventura, pero sí hay que evitar caer en la comodidad, el hastío y la falta de interés por el otro. La rutina no es más que pereza sentimental.

Dentro de una relación, los protagonistas siguen creciendo, pero con frecuencia existen desarrollos individuales con diferente velocidad o en distinta dirección; esto puede provocar que el otro no lo entienda o no lo admita. Las divergencias en las carreras profesionales, las diferencias salariales, culturales, ideológicas o religiosas, las diversas maneras de plantearse el tiempo libre, etc., no siempre se entienden bien y pueden tensar la convivencia hasta la ruptura.

Un problema añadido puede ser no expresar nunca amor, no acariciar, no abrazar, no besar, no buscar momentos de intimidad. Si la pareja está rodeada de frialdad y desapego, el futuro no promete ser muy halagüeño.

Además, están las malas formas en el trato diario o las discusiones permanentes en las que lo de menos es la causa —«dime lo que tú piensas, que yo me opongo»—. Responden a la necesidad constante, por parte de uno de los miembros de la pareja, de imponer sus opiniones y criterios.

Otra razón que puede tener relevancia a la hora de poner en evidencia el final del amor es la falta de aficiones comunes: solo priman los intereses y las preferencias de uno, mientras los gustos del otro se diluyen y desaparecen de los planes. Esto acaba en actitudes de indiferencia y desprecio hacia lo que nos gusta, y puede considerarse una falta de respeto.

También tenemos las pequeñas y grandes mentiras. No hay mayor decepción que escuchar, tanto en respuesta a una pregunta determinada como en el transcurso de una conversación, lo que tú, que ya conoces la verdad, sabes que es una mentira. Hay personas que mienten como deporte. Me cuenta una amiga que su pareja le miente constantemente y ella le pilla, tanto las mentirijillas pequeñas —el lugar de celebración de una comida, los horarios o con quién se ha reunido— como las grandes mentiras que afectan a los cimientos de su unión. Ella empieza a estar desesperada y obsesionada, y piensa que, puesto que es capaz de no decir la verdad en las cosas pequeñas e insignificantes, ¿cómo va a creerle en asuntos más importantes?

Hay un síntoma revelador: cuando, por mucho que hagas regresiones, solo vienen a tu memoria los malos recuerdos, porque los buenos se encuentran sepultados bajo capas y capas de dolor y tristeza. Como mujer, quiero asumir algo por lo que se nos critica a menudo: que guardamos demasiado espacio en nuestra memoria para los agravios recibidos. Quizás seríamos más felices si pudiéramos olvidar los malos recuerdos, seleccionar los buenos y retenerlos para sentirnos más dichosas. Una conocida atemoriza de manera recurrente a su compañero diciéndole: «No discutas conmigo, tengo 500 GB de memoria». A veces, olvidamos los recuerdos que nos harían felices y mantenemos lo que deberíamos olvidar.

Con frecuencia, la falta de consenso respecto a las decisiones que afectan a los hijos es causa para entablar auténticas batallas, y tiene difícil solución. Siempre es conveniente compartir una escala de valores común y acordar los modos y métodos de educación de nuestros retoños.

Cuando cualquiera de los dos miembros necesita otros afectos fuera del marco de la pareja, aunque dicha necesidad no llegue a cristalizar en una relación o no termine necesariamente en una infidelidad, tenemos un verdadero problema. Cuando alguien sale a buscar cariño en vez de retener el que tiene en casa, evidencia que no respeta a su pareja y, por supuesto, que no la quiere. El daño que producen los devaneos es devastador. Si alguien necesita un *calentón ajeno,* lo que vulgarmente se conoce como *echar una cana al aire* o *tener un desahogo,* ha de saber lo que se juega y valorar si esa aventura compensa la posibilidad de romper una relación estable.

En ocasiones dejamos de querer a nuestras parejas porque nos han dejado de amar a nosotras. Hay veces que tienes que renunciar a alguien no porque no te importe, sino porque tú ya no le importas a él. Una relación no tiene futuro si tú estás enamorada pero por parte de la otra persona encuentras total desinterés hacia ti y hacia lo que te suceda. Dejar de amar porque no te quieren a ti, aunque parezca increíble, es una de las situaciones más duras y difíciles de aceptar en una ruptura.

Cuando una pareja que antaño disfrutó de toda una vida en común se convierte en la unión de dos extraños que no tienen nada que contarse, nada que hacer juntos, en definitiva, nada de nada, asistimos al final del amor por inanición, por falta de «alimento afectivo» en la pareja.

En relación con la inexistencia de planes en común, a veces siempre hay planes en paralelo de uno de los miembros de la pareja, pero sin contar con la participación del otro; se buscan excusas laborales, familiares, relacionadas con las aficiones y la manera en que cada uno pasa sus ratos de ocio para estar el menor tiempo posible en casa o con el cónyuge. No se necesita el contacto o la comunicación, y cualquier excusa es buena para buscarse la vida fuera. Para entender esta situación gráficamente no hay más que darse un paseo una tarde cualquiera por bares y sitios de copas y ver la cantidad de hombres que pasan el rato bebiendo solos. Muchos de ellos no tienen ningún interés por llegar a casa y compartir un momento de charla con su chica.

Hay que mencionar también los episodios esporádicos o habituales de maltrato, ya sea psicológico, verbal o físico, contra uno de los miembros de la pareja. Resulta duro asumirlo, pero un altísimo porcentaje de mujeres sufre el terror de golpes, insultos, acosos, desprecios y humillaciones.

Los celos también son muy dañinos en una pareja. La inquietud que nos asalta cuando pensamos que podemos estar compartiendo a la persona que amamos nos crea una mezcla de miedo a perderla y enfado por la traición. Para evitar que los celos nos hagan daño, la comunicación entre los dos debe primar. Hay mujeres que, aunque sufran celos de forma enfermiza, prefieren no afrontar la situación. Alguien me dijo una vez que «no hacía preguntas de las que no deseaba saber las respuestas». Mirar hacia otro lado no es una postura que yo comparta, puede ser tan respetable como otras, pero creo que siempre es mejor afrontar el tema y saber si existe una causa real para la sospecha.

Cuando, efectivamente, esa sospecha tiene fundamento, cuando existe fuera de la pareja un enamoramiento real o una aventura que se prolonga en el tiempo, es normal que se produzca la ruptura. Pese a lo extendidas y asumidas socialmente que están las aventuras, tanto la infidelidad como el adulterio están considerados como una causa de maltrato y, desde luego, constituyen una falta de respeto y un ataque a la dignidad de nuestra pareja.

Antes de finalizar este apartado, quisiera analizar una última situación. Existen casos en los que, incluso dándose algunas de las causas antes explicadas, las parejas acuerdan seguir juntas porque hay intereses comunes o principios morales y/o religiosos que desean respetar. Simplemente debe existir un consentimiento mutuo para soportar la convivencia aunque el enamoramiento esté finiquitado. En algunos casos se logran el respeto, la independencia de decisiones, la privacidad y los espacios particulares de uno y otro. Pero permitidme que tenga mis dudas respecto a estas situaciones; creo que en ellas siempre hay uno que hace lo que quiere y otro que sale perdiendo, que sufre y aguanta por evitar la pérdida

Si al leer estos apartados que he dedicado a analizar las razones que explican el final del amor en la pareja te has sentido identificada con alguna o varias de las situaciones descritas, lamento decirte que tu relación pasa por difíciles momentos y que será necesario que los dos os pongáis a trabajar duro si queréis evitar un naufragio. Si salvar la pareja es vuestro deseo, tendréis que aplicar grandes dosis de diálogo y de afecto. Si no es así, cuanto antes toméis otras decisiones, antes empezará el resto de vuestras vidas. En estas páginas encontraréis salidas y soluciones.

LOS TIEMPOS DEL DIVORCIO

> «... le rogaba que me hablara, que me tocara, que me mirara, que volviera a ser como había sido antes, como había sido siempre, risueño y melancólico a la vez, brusco y divertido, profundo».
>
> *Malena es un nombre de tango.* Almudena Grandes, 1994.

La ruptura ideal no existe, pero, si hay algo que se le parezca, es aquella en la que dos personas que se han querido se dan cuenta de que han perdido los lazos afectivos que las unían y deciden por mutuo acuerdo dejar de estar juntas. Esta situación, igual de dolorosa que todas, al menos produce el alivio de que uno no tendrá como objetivo hacer sufrir al otro, además de acortar la duración del proceso.

La realidad suele ser bien distinta. Proliferan las situaciones en las que dos personas que han convivido íntimamente y saben las fortalezas y debilidades mutuas se aprovechan de los flancos más frágiles del otro y actúan en su contra. Evidentemente, esta no es la mejor solución: siempre se sale mejor parada de los acuerdos que de las disputas. Estudia las ventajas e inconvenientes de atacar sus aspectos afectivos y personales, y piensa que él también conoce los tuyos; calibra que los dos resultaréis perjudicados porque de una batalla nadie sale indemne. El divorcio es siempre un asunto terrible para los dos, independientemente de la causa o de quién tome la decisión.

El divorcio tiene varios momentos comunes en todos los casos. Hay un momento emocional, un momento real y un momento legal.

El momento emocional es aquel en que uno de los dos cae de bruces y sabe que ya no necesita al otro en su vida. O dicho de otra manera, es el instante en que se adquiere conciencia de que se acaba el amor.

He llamado «momento real» a ese punto a partir del cual cada miembro de la pareja, aunque no hayan finalizado aún todos los trámites judiciales —que en algunos casos parecen durar una vida entera—, comienza a vivir por separado. Por tanto, uno de los dos abandona la que ha sido vivienda familiar hasta ese momento. En algunos casos, durante esta etapa posruptura se realizan intentos, por una de las partes, para evitar el final definitivo. Cualquier tentativa es respetable, pero creo que esta actitud no hace sino alargar la agonía y el necesario proceso de duelo por el que tenemos que pasar. Otras veces, la persona que abandona la pareja, en un intento de que el cese de la convivencia no dañe su imagen, alienta una apariencia de amistad y afectividad falsa e innecesaria. Os recomiendo que, una vez asumido que lo inevitable ya se ha producido, cuando ya se ha tomado la decisión de divorciarse, busquéis actividades, amistades y relaciones nuevas; en caso contrario «el más de lo mismo» se quedará en vuestras vidas durante largo tiempo y tu ex seguirá avanzando, pero tú no lo harás.

El momento legal es la conclusión efectiva del matrimonio. Se produce cuando se firma y se terminan todo el papeleo y todos los trámites, y salvo contadísimas excepciones no tiene vuelta atrás: supone el punto final de la relación.

Ahora bien, aunque el divorcio culmina con la firma de los papeles, realmente, el auténtico final llega tras la superación de los problemas y el inicio de una vida nueva y diferente.

Las causas por las que un divorcio se produce resultan, a la larga, vitales. Los motivos que desencadenaron la ruptura tienen que quedar siempre claros, si no es así, se cometerán errores: culpabilizarnos, llegar a acuerdos que no nos beneficien, desmotivarnos para relaciones futuras o perdonar lo imperdonable.

Obviamente, para tomar la decisión de que queremos divorciarnos, hay que conocer la realidad tal cual es, sin mentiras. Hace poco he conocido el caso de una pareja que se acaba de divorciar y que ilustra bien este punto. Él hizo creer a su exmujer que había dejado de quererla debido a su cambio de carácter, como consecuencia de una larga enfermedad. Después se ha sabido que el motivo real de la separación ha sido una relación que él mantenía desde hacía diez años con una compañera de trabajo, también casada; justamente ahora esta se había decidido a dar el paso y había dejado a su marido, forzando la unión con el que durante tantos años había sido su amante. La exmujer ha pasado una durísima temporada —culpabilizándose por sus cambios de humor y de carácter, incluso por su enfermedad—, cuando la causa real era la más común de las causas: la infidelidad. Tenemos que aprender de lo vivido, no creernos todo lo que nos cuentan y no cometer los mismos errores.

Algunas de las situaciones a las que me he referido anteriormente pueden darse tanto en hombres como en mujeres, pero vuelvo a dejar claro mi enfoque femenino. A mi juicio, existen motivaciones internas (expectativas incumplidas, celos, diferencias irreconciliables, ruptura del compromiso, hastío emocional) y causas externas que favorecen que un matrimonio se haga mil pedazos; lo importante es identificarlas, valorar su gravedad, para saber cuándo tomar la decisión de emprender un proceso de divorcio.

La primera cuestión a la que quiero referirme es la violencia familiar en cualquiera de sus modalidades: verbal, psicológica o física, contra la mujer, contra los hijos o contra ambos. Una buena cantidad de las rupturas tienen como causa las faltas de respeto y el maltrato en el seno del hogar: las palizas, los insultos, los desprecios, la represión, los abusos en el sexo, la infravaloración, las bofetadas, los celos enfermizos, el aislamiento, la represión, la desmotivación, la inseguridad, la privación de movimiento y la falta de libertad de actuación y de toma de decisiones. Las mujeres que sufren maltrato están convencidas de que les costará vivir fuera de la pareja y nunca superarán esta situación. Aunque parezca un contrasentido, las víctimas de violencia conviven con el miedo, padecen depresión, tienen la autoestima por los suelos, pero aguantan en pareja porque su dependencia emocional y/o económica les impide tomar la decisión de abandonar la relación, las anula como personas y no les deja mirar al futuro con tranquilidad y confianza. El maltrato lleva consigo el aislamiento y la incomunicación, que dificulta la búsqueda de salidas y la superación del horror.

Cuando por fin las víctimas toman la decisión de divorciarse —tras sufrir una situación de violencia familiar (ya sea física o psicológica)—, pese a tener en un principio una sensación de alivio, ya que dejan de producirse episodios de pánico, arrastran terribles secuelas emocionales que tardan mucho tiempo en superar.

Hay también conflictos que podrían denominarse «irresolubles», situaciones que se van acumulando y que incorporan una importante carga de negatividad ante la imposibilidad de manejarlas y que dificultan enormemente la posibilidad de identificar con claridad el momento de tomar la decisión de romper la pareja. Me refiero a causas como el desempleo, los problemas económicos, los enfrentamientos con los hijos, la enfermedad, el alcoholismo, las drogas, la ludopatía, la delincuencia, etc.

Adulterio o infidelidad, ya sea sexual o emocional, se han convertido en uno de los motivos de ruptura más clásicos y, lamentablemente, más extendidos: buscar fuera de la pareja lo que supuestamente no se encuentra en casa. Puede ser que antes de producirse la infidelidad ya se haya dado un proceso de desgaste, aburrimiento, desamor o desinterés. En otros casos, lo que dinamita la unión es precisamente encontrar a otra persona. Dado que no todos reaccionamos igual ante las infidelidades, estas situaciones no siempre son indicativas de que el momento para el divorcio ha llegado.

En relación con lo anterior, conozco casos de hombres a los que les resulta imposible serle fiel a una mujer y entre cuyas prioridades no está la vida en pareja ni el compromiso. Al hombre le molesta más que su pareja le sea infiel sexualmente, mientras que a nosotras las mujeres, si hemos de ser sinceras, nos molesta cualquier tipo de engaño, incluso el de pensamiento y el afectivo; sea cual sea la manera en la que se nos presente, nos causa un dolor profundo.

Hoy en día, si un hombre —y también una mujer, por supuesto— quiere ser infiel tiene muchas ayudas para poder hacerlo. Antes era más trabajoso, había que conocer a alguien, empezaba un cortejo más o menos largo, hasta que se llegaba a otros asuntos de mayor rango. Ahora, la ayuda de las nuevas tecnologías facilita el camino y a la vez lo hace más sofisticado. Los teléfonos móviles, SMS, correos electrónicos, *whatsapps*, las redes sociales, etc., se convierten en auténticos cómplices de la infidelidad.

Además, si te planteas la búsqueda de una persona que se ajuste a tus intereses y necesidades, se cuenta con la colaboración de innumerables páginas web de contactos: para relaciones de amistad, sexuales, solo con personas solteras (o casadas), con fines serios o para encuentros esporádicas, con personas que compartan aficiones o vecindario... Todo lo que busques lo puedes hallar. El que quiere montarse la juerga fuera del matrimonio puede encontrar su oportunidad en la red. Quizá estás manteniendo una conversación de alto contenido sexual sin salir del despacho o sin moverte del sofá de casa, con tu mujer enfrente, ¡y sin que ella se entere de nada! Claro que, para hacer eso, hace falta una gran dosis de cinismo.

El teléfono siempre ha sido un objeto utilizado en el adulterio. Hace tiempo, si llamaban a una casa varias veces y colgaban, y solo se mantenía la conversación cuando lo cogía el marido, la sospecha surgía de inmediato. Ahora todo resulta más sencillo gracias a que Internet, los ordenadores y teléfonos móviles se convierten en aliados. Pero esos inventos también son armas de doble filo. Últimamente, me han hablado de innumerables casos de mujeres que se enteran de infidelidades de sus parejas cuando miran, de forma más o menos accidental, sus teléfonos móviles. Mensajes de otras mujeres que llegan a todas horas y que nuestro cónyuge suele denominar «cosas de trabajo». ¡Y tanto que dan trabajo!

Actualmente, las cifras de infidelidad acercan cada vez más a hombres y mujeres, si bien los caballeros siguen ganando por goleada. Puede que las mujeres ya no queramos ser las engañadas y nos hayamos lanzado a la práctica. También puede que seamos algo más discretas con nuestros escarceos, frente a la inclinación a alardear propia de los varones. Yo sigo firmemente convencida de que, si dos personas se aman y se respetan, no tienen necesidad de salir a buscar, ni siquiera por curiosidad ni por aumentar un poco la autoestima. Como decía el actor norteamericano Paul Newman, «¿por qué ir a buscar una hamburguesa cuando tienes una chuleta en casa?». Y sabía lo que decía porque estuvo cincuenta años de su vida casado con la misma mujer.

A la hora de decidir si la infidelidad es el elemento que marca la necesidad de tomar la decisión del divorcio, entra en juego un factor muy importante, el del perdón. ¿Se perdona totalmente una infidelidad? Dicen que las mujeres tenemos más tendencia a perdonar las infidelidades de nuestras parejas, pero yo os digo que, por lo que sé de las mujeres con las que he hablado, como de los hombres que me han contado algunas experiencias, los cuernos no se perdonan jamás; si he de hacer una excepción, diré que, como mucho, se hace borrón y cuenta nueva en las películas americanas, que tienen tendencia a crear finales felices.

Perdonar que te hayan faltado al respeto y que te hayan causado dolor es muy difícil. Hay ocasiones en que, en un primer momento, parece que se puede superar, pero la deslealtad se convierte en el centro de todas las discusiones y en la primera causa de ataque al infiel. Puede que existan casos de perdón, yo solo conozco pequeños olvidos temporales que, finalmente, se convierten en el principio del fin.

Amigas de lo ajeno

En este apartado, no quiero que se entienda mal mi posición ni mi ideología: para nada estoy disculpando a los hombres y cargando contra las mujeres, no es así. Tampoco quiero que estas líneas parezcan una muestra de inseguridad, porque no lo son. Lo que pretendo aquí es criticar actitudes y situaciones propiciadas y protagonizadas por mujeres que, por su conducta calculadora, su falta de escrúpulos y su actuación fuera de toda integridad, no salen muy bien paradas.

Salir a comer, de copas o a divertirte con tu pareja se está convirtiendo en una actividad de riesgo. Hay sitios en los que empieza a resultar incómodo entrar acompañada de tu chico porque, situada estratégicamente, hay una corte de mujeres de diferentes edades que escanean a tu compañero y le hacen «ojitos» y gestos sin ningún pudor. Esto durante el día, porque por la noche la situación se agrava, pues este ataque se lleva a cabo con nocturnidad y alevosía. Hay señoras que abordan descaradamente a tu pareja sin que les preocupe lo más mínimo que tú estés presente. Comentando el asunto con un grupo de conocidas, alguna, con mucha ironía, decía que pueden darse casos de «amor a primera vista»; sin embargo, la gran mayoría —opinaba— son situaciones de seducción interesada, ya que abundan las féminas obsesionadas por conseguir a la pareja de otra. Son mujeres que van a por todas y dan con hombres que, al sentirse buscados, entran de forma voluntaria en su juego.

Yo he comenzado a denominarlas «las amigas de lo ajeno». Una amiga que ya ha afrontado alguna que otra riña con su pareja por haber vivido esta clase de situaciones, las llama «mujeres desesperadas».

Muchas lectoras entenderéis perfectamente a lo que me estoy refiriendo, sé que también lo habréis notado y compartiréis conmigo esta sensación de incomodidad. Estas mujeres gozan entrando en competición con la esposa, burlan los esquemas del compromiso de la pareja, utilizan cualquier tipo de «arma de mujer» y no tienen ningún escrúpulo en tratar de conseguir su propósito: por eso se convierten en un peligro. Las amigas de lo ajeno tienen claros sus objetivos: hombres de un nivel adquisitivo medio-alto, con cierta edad y casados.

Amigas lectoras, los hombres se dejan querer siempre, lo llevan en sus genes y en su condición. Si conocéis a alguno que, situado en la posición de sentirse hombre objeto, sea capaz de quedarse indiferente, ningunear a la contraria y centrarse en su pareja, ese necesita la nominación a Hombre Leal del año. La cruda realidad es que hasta el más centrado, comprometido y amoroso con la propia, entra al trapo. A ellos les encanta gustar y ser admirados, e incluso el más comprometido mira de reojo a quienes le observan. Otra cuestión es que caigan en su juego. Dicho lo anterior, algo tengo claro: si tu pareja se rompe por una de estas mujeres que se cruza en el camino del marido, es que él no merecía la pena. No era digno de tu amor si muestra esta predisposición a la primera de cambio.

¿Curiosidad por lo que no tienen?, ¿morbo?, ¿inclinación a rendirse ante la admiración recibida?, ¿búsqueda de juegos prohibidos? Cada uno debe poner en una balanza lo que gana y lo que pierde. No tienes que ser tú la que luche por su permanencia, tu pareja también tiene que poner freno al asunto y hacer valer su compromiso y su fidelidad hacia ti. No solo debe escapar de los envites cuando tú estés pendiente, ha de hacerlo siempre. Un hombre que se deja seducir no es lo mejor para ti, las bases de una pareja son el amor y la confianza

En un espacio en el que haya mujeres sin pareja hay que ir con cien ojos para que no te levanten la propia. Me contaba una amiga que un día de Navidad, en un bar al que suele acudir con su pareja, se formó un agradable grupo de gente que contaba cosas divertidas. El asunto se torció cuando apareció una mujer que se lanzó directamente a por su marido, colocándose a su lado con una actitud excesiva y coqueteos tan evidentes que provocaron su incomodidad. La recién llegada mostraba muchísimo interés por el trabajo de él, le enseñaba constantemente el teléfono con sus fotos, en las que lucía diferentes disfraces, para rematar con continuas preguntas sobre su vida personal; en definitiva, que estaba demostrándole un interés bárbaro cuando hacía escasos minutos que lo había conocido. En un momento dado, aprovechando la ausencia de mi amiga, que había ido al baño, la otra le hizo llegar a su marido una tarjeta con su teléfono y sus datos. Cuando abandonaron el local, advertida por otra de las personas del grupo de lo que había sucedido, mi amiga guardó silencio, a la espera de la reacción de su pareja. Su sorpresa fue mayúscula al constatar que pasaban los días y él no le comentaba nada sobre la dichosa tarjeta. Desconocía si pensaba utilizarla o no, pero el hecho de no comentarlo, ni siquiera como una anécdota, con ella ya le produjo bastante enfado.

Las mujeres hemos avanzado, ya no nos comportamos como las mojigatas que permanecían en el baile sentadas en la silla esperando a ver si alguno las sacaba para poder bailar. Hemos luchado y superado muchas cosas, y creo que hemos salido al mundo sabiendo que esto es la jungla. Algunas mujeres han creído que el papel que tenían que asumir era el de cazadoras o guerreras, y con las pinturas de guerra han salido a la calle, caiga quien caiga. Me llamaréis antigua, pero creo que eso a nosotras no nos favorece, en cambio a ellos les llena de vanidad y les simplifica mucho la tarea.

SENTIMIENTOS POR LOS QUE PASAMOS: VÉRTIGO, MIEDO, LIBERACIÓN, INCERTIDUMBRE, ILUSIÓN POR UNA NUEVA VIDA

«El olvido no es victoria sobre el mal ni sobre nada y sí es la forma velada de burlarse de la historia. Para eso está la memoria que se abre de par en par devolviendo lo perdido, no olvida quien finge olvido sino quien puede olvidar».

Mario Benedetti (1920-2009), poeta y escritor uruguayo.

El divorcio afecta notablemente a nuestra autoestima. Aunque hayamos sido nosotras quienes hemos tomado la decisión, tenemos la sensación de que no hemos sido capaces de mantener la nave a flote. A las mujeres, que somos tan perfeccionistas, nos puede la sensación de fracaso. ¿Podríamos haber hecho algo más por nuestra relación?, ¿por qué ha terminado realmente?, ¿qué nos mantuvo unidos?, ¿qué pasará ahora que la relación se ha finiquitado?, ¿por qué terminar una relación provoca tanto dolor y sufrimiento?, ¿seguro que esta es la decisión que quería tomar?, ¿estoy preparada para enfrentarme a este duro proceso?

Muchas parejas que deciden divorciarse realmente no están preparadas para hacer frente a la multitud de cambios que se producen, ni a las dificultades que se presentarán. A eso se suma que de parte de nuestra expareja, su familia o los amigos también recibimos un mensaje acusador que nos transmite la sensación de ser las directas responsables de que todo se haya resquebrajado. Cuando todo está roto, todavía recibimos la carga de la culpa de que somos las únicas causantes de la debacle. Esto provoca que nuestra autoestima quede por los suelos

Si ha sido el otro miembro de la pareja el que ha decidido la ruptura, las mujeres asumimos un papel incluso más doloroso: el de rechazadas. Pasamos épocas de angustia, de enfado permanente, de incertidumbre, de desilusión, de depresión o de euforia pasajera. Lo único que comparten todos los divorcios es que nadie transita por ellos de forma indiferente.

Un divorcio conlleva emociones y sentimientos, positivos y negativos, muy intensos. Estos durarán según la causa de la ruptura y la fuerza que cada persona ponga en la superación del trance, dependiendo de su personalidad y carácter. No nos olvidemos aquí de las ayudas: nadie sale solo de una situación tan adversa. Necesitamos apoyos, ya vengan de parte de los hijos, de la familia, de los amigos o de una nueva pareja.

Analicemos alguno de estos sentimientos y emociones.

Culpa

Es un sentimiento con varias caras, y en un divorcio todavía más: nos culpamos a nosotras mismas, a nuestra expareja, a las familias, los amigos, la suerte, la vida. La culpa es algo que nos anula y nos impide buscar soluciones. Solo encontramos placer lamiéndonos las heridas y pensando qué salió mal. Sintiendo culpa se nos pasa la vida por delante, y podemos echar a perder nuestro futuro, como quizá ya ocurrió con el pasado y ocurra con el presente. La culpa debe estar proporcionada con los hechos, debemos aceptar aquello que no hicimos bien, pero sin quedarnos ancladas en los errores.

Tampoco nos sirve de nada culpabilizar a los demás, pues el papel de víctima no nos favorece. La mejor vía pasa por centrarnos en resolver nuestra situación personal.

Dolor y sensación de fracaso

En este punto querría que dedicaseis unos minutos a encontrar la diferencia entre «ser atacada» o «sentirte atacada» por tu expareja, expresiones que, obviamente, no significan lo mismo. No debemos dejar que se nos culpabilice de todo lo que salió mal, pero puede que nosotras nos sintamos vulnerables ante comentarios que resultarían minimizados si hiciésemos una buena argumentación. Hay que escuchar siempre, dejar que el otro termine su discurso antes de responder; te sorprenderá saber que, si controlas tus reacciones y evitas culparte por todo, te sentirás aliviada y más capaz de afrontar lo que tienes, porque tu carga será menos pesada. Escuchar no quiere decir que compartas lo que el otro dice, ni que lo aceptes. Piensa todo antes de hablar y evita hacer un discurso marcado por la amargura. Tampoco aguantes que solo te causen dolor. La existencia del perdón no justifica que la gente tenga derecho a estar lastimándonos de forma constante.

Depresión, pérdida de la autoestima y estrés

Cuando vemos a la que fue nuestra pareja, recordamos las situaciones de la relación que nos causaron sufrimiento, debemos ponernos una coraza; lo importante es evitar los enfrentamientos que solo producen estrés y desgaste emocional. Lo que más daño te puede causar es pensar que el divorcio es un fracaso personal. Considera siempre que no lo es, porque una ruptura se produce cuando una relación no funciona y queremos empezar una vida mejor.

Tristeza ante la pérdida

Para superar la sensación de melancolía, conviene que nos preguntemos: ¿merecía la pena luchar por mi relación?, ¿me producía más alegrías o más frustraciones? Seguramente, si somos sinceras, dejaremos de tener una causa para estar tristes. No podemos hacer responsable a nadie de nuestra tristeza o de nuestra frustración, porque somos nosotras mismas las que nos marcamos los indicadores de felicidad o infelicidad. Nosotras generamos nuestros pensamientos y sentimientos y decidimos si merece la pena seguir luchando o empezar a construir una nueva realidad. El dolor es algo que no sirve para nada, no nos vuelve más fuertes, solo más infelices; cuanto antes lo hagamos desaparecer de nuestras vidas, mejor.

Miedo, inseguridad e incertidumbre ante el futuro

Este es el momento en el que debes marcarte unas nuevas prioridades y enfocar tu vida hacia lo que tiene que ser y no a lo que tú hubieras querido que fuera. En ocasiones, nos cuesta ser sinceras con nosotras mismas, no queremos añadir un dolor extra al que el divorcio ya nos está produciendo, pero hay que hacer un análisis de sentimientos, aceptar nuestras responsabilidades; será la única manera de mejorar nuestra vida y aumentar nuestro bienestar emocional.

Soledad

El matrimonio es un asunto de dos personas y el divorcio también. Por eso experimentamos una tremenda sensación de soledad después de una época de nuestra vida en la que siempre hemos sido dos. Puede ser fácil desvincularse de la persona con la que la relación ha fallado, pero es muy difícil desvincularse de la sensación de compañía. Tarde o temprano aparece el vacío. Una de las claves para superarlo es evitar encerrarse en una misma o centrarse de forma exclusiva en la familia y los hijos. Hay que revisar nuestra autoestima y ver dónde han de generarse cambios y replanteamiento de actitudes; salir de la zona donde nos sentimos protegidas y confiar en que la vida da siempre oportunidades, sean las que sean. Si, pasado un tiempo, no has hecho amigos, deberás plantearte que hay algo que no estás haciendo bien.

Rabia

Con el contrario y con una misma, es una de las emociones que más frecuentemente vamos a sentir, pero, si la administramos correctamente, nos ayudará a mantenernos alerta y a no dejar que nos pisoteen mientras transitamos por este camino que hemos emprendido. La rabia puede darnos fuerza y empujarnos para actuar con decisión y contundencia. El problema se crea cuando se convierte en la única razón que nos guía, eso nos va a desgastar el cuerpo y el alma. La rabia nos puede mantener atentas, pero también llevarnos al desfase, al ataque, al insulto, a la negación, a la falta de objetivos, a la venganza constante y a la depresión.

Deseos de venganza

Este sentimiento nos afectará de forma tajante a la hora de tomar decisiones, y todas las que adoptemos bajo su influencia resultarán negativas y perjudiciales para nuestro presente y nuestro futuro. La venganza nos puede llevar a actuar sin medir las consecuencias, podemos usarla para crear en el otro daños gratuitos. En el fondo, no sacamos ningún beneficio de que nuestro ex sufra; nosotras ya tenemos bastante con intentar salir de nuestro propio pozo. Hay veces que vengarnos nos hace sentir poderosas, pero el placer derivado de la venganza será proporcional a los problemas que nos ocasionará. Además, la revancha genera más venganza, y todo se convierte en un laberinto de salida imposible. Es mejor sentirse algo frustrada y dolida que tener que arrepentirse por las malas decisiones tomadas con agresividad, ganas de desquite, ira, odio e irreflexión. Prefiero la actitud de las mujeres que reaccionan desde el lado opuesto: «Mi ex no sabe lo que se está perdiendo».

Alivio

Se da de forma especial cuando han existido situaciones de maltrato y de violencia. Terminar la convivencia con el responsable de tu infelicidad produce un gran alivio. Las mujeres víctimas de violencia, como consecuencia del miedo, pueden dar la sensación de no haber reaccionado con contundencia, de no haber abandonado la relación con suficiente rapidez. Desde fuera todo se ve muy sencillo: he visto mujeres anuladas por el pánico a sus maridos, hasta quedar sin capacidad de reacción. No hay que mirar atrás, el pasado ya no lo podemos cambiar, ahora es el momento de plantear el futuro y aprovechar con todas las fuerzas lo que nos depara la vida.

Necesidad de ilusión, futuro y afecto

Llega un momento en el día a día en el que ya no vemos solo los problemas, empezamos a vislumbrar también las soluciones, para ello, debemos dejar de quejarnos y comenzar a actuar. No siempre las cosas salen como nos gustaría, pero tenemos que tener la valentía de cambiarlas para salir del túnel.

Lo que necesitamos es una nueva vida con una correcta recuperación sentimental, una superación del dolor, un conocimiento a fondo de las causas y las culpas. Para afrontar una existencia diferente, cada persona debe marcarse unos objetivos y unos tiempos, no todos lo superamos igual, pero hay que tener claro que es necesario iniciar el camino y mirar solo hacia delante.

3
UN DIVORCIO CIVILIZADO

Cómo conseguirlo

> «El amor es química, el matrimonio es física
> y el divorcio matemáticas».
>
> Antonio Fraguas, *Forges* (1942), dibujante y humorista.

Las claves para que se produzca un divorcio lo más tranquilo y civilizado posible son el diálogo y el acuerdo. ¿Fácil, verdad? Pues solo resulta sencillo en la teoría. Esta máxima, que debería ser la norma, lamentablemente es la excepción, porque durante un divorcio el factor que más peso tiene es el emocional, y con él en juego el raciocinio se va al traste.

Yo, al haber pasado por un divorcio, te recomiendo que luches y vayas a por todas solo si tienes la seguridad, y sobradas pruebas, de que tu expareja quiere dejarte en la miseria y acabar contigo. En el resto de los casos, trata de llegar a un acuerdo, siempre resultará más conveniente que una lucha sin cuartel. Al final, los dos estáis deseando que todo esto termine, no os convirtáis en una amenaza permanente el uno para el otro.

Sabemos que uno de los deseos que está más presente en estas negociaciones es el de la venganza; anhelamos que la persona que nos ha abandonado sufra en la misma medida en que estamos sufriendo nosotras. Aquí hay que pararse, pensar fríamente y llegar a la conclusión de que, en algunos casos, el mayor desprecio que podemos hacer es no caer en el juego de la pelea, el descrédito o el insulto. Ignorar al otro causa más perjuicio que intentar convertir su existencia diaria en un infierno; aquel que te ha hecho daño no puede seguir dominando tu vida y tus pasiones.

En definitiva, divorciarse provocando daño nos genera unos costes muy elevados: debemos mantener una postura inteligente y tomar decisiones prácticas y que nos beneficien. Veamos algunas de las actitudes que hay que evitar:

Morir matando

El coste emocional de una separación es tremendo. Así que nada mejor que plantearse el siguiente dilema: ¿realmente nos compensa pasarlo mal con la única finalidad de que el ex sufra? Sinceramente, creo que no. Cuando ya has decidido poner punto final, lo mejor es seguir adelante, sin mirar atrás y con renovadas energías. La ruptura ya nos ha causado suficiente dolor como para buscar una dosis extra que, además, ni siquiera sabemos si logrará nuestro fin último: que el contrario pague por sus pecados. Llega cuanto antes a la conclusión de que el divorcio es lo más positivo que te puede pasar a ti y también a tus hijos. Este pensamiento te evitará mucho sufrimiento, te lo aseguro.

Alargar la agonía

En ningún caso debemos permitirnos que la pena nos mantenga ancladas en el pasado. Todas conocemos a mujeres que, año tras año, siguen contando la misma cantinela sobre la causa de la ruptura y lo mal bicho que es su exmarido. Hay que pasar página para empezar a superar los malos tiempos y, cuanto antes lo hagamos, antes tendremos delante nuestro nuevo camino. El proceso puede ser lento, eso lo podemos superar, pero no debería convertirse en *La historia interminable*.

El dolor de los pequeños

Alargar los procesos tiene un alto coste familiar porque, a mayor dolor de sus padres, mayor sufrimiento de los hijos. Llega un momento en que una madre sabe que el bienestar de sus hijos es imprescindible para su futura salud mental y sus futuras relaciones en pareja, así que toca firmar el armisticio. Muchas veces, el altruismo de la madre, la voluntad de no hacer daño, se impone a sus propios deseos.

Solas y aburridas

Un divorcio eterno supone, además, un coste social: si estamos concentradas en el rencor y la venganza, se pierden los amigos y se dejan pasar oportunidades para disfrutar y divertirse. También hay que mantener la cabeza muy fría respecto a los consejos que la gente da: los demás no se juegan nada en esta batalla, y tú, mucho. Las recomendaciones ajenas que sugieren atacar sin piedad pueden salir muy caras, así que intentad ser cautelosas con los sermones que escuchéis. No hay que olvidar que los malos consejos resultan gratuitos para el que los da, pero pueden provocar males irreversible en las que los recibimos.

Desplumadas

Los procesos legales eternos traen consigo larguísimas facturas de abogados y asesores. Cuanto menos tiempo dediques al odio, menos horas te facturará el abogado. Se dan casos en los que se lucha gastando miles... para conseguir cientos. A veces lo más económico es hacer borrón y cuenta nueva.

Y así llegar a un final... civilizado

Con todos estos puntos claros, hay que luchar por conseguir una separación por mutuo acuerdo en la que la pareja tendrá que llegar a un consenso en los siguientes puntos:

— La patria potestad y custodia de los hijos menores.
— La posible pensión de alimentos y/o compensatoria.
— El uso del domicilio familiar.
— El régimen de visitas y de vacaciones de cada progenitor con los hijos.
— Otras medidas y acuerdos que sean de interés para los miembros de la familia.

Estos acuerdos, a los que habrán llegado ambas partes, serán ratificados por un juez.

En las últimas historias sobre divorcios que he conocido, me ha sorprendido gratamente un cambio de actitud, al menos en apariencia: las mujeres han dejado de contar sus separaciones como un drama y de presentarse como víctimas. Comentándolo con una amiga, recién divorciada, me dijo que, según había leído, ahora «ya no mola lo de ir de despechada por la vida, no hay que ir contándole al mundo que quieres borrar su paso por tu vida, ahora se lleva el "buenrrollismo" y la melancolía de los momentos felices, para llamar la atención o para conseguir un sustituto». Como decisión, me parece muy buena; es mejor generar alegría que lástima.

Qué actitud tomar para acabar de forma civilizada

> «Cada vez iré sintiendo menos y recordando más, pero qué es el recuerdo sino el idioma de los sentimientos, un

diccionario de caras y días y perfumes que vuelven como
los verbos y los adjetivos en el discurso».

«Para vos la operación del amor es tan sencilla, te curarás
antes que yo y eso que me querés como yo no te quiero».

Rayuela. Julio Cortázar, 1963.

Una vez que los sentimientos que mantenían unida una pareja se rompen, es inevitable que todo lo que rodea a ambos resulte perturbado. El divorcio nos ha hecho ver diferencias no previstas y conflictos irreconciliables. Tras la separación y el cambio en la situación de la pareja, llega el momento de asumir el divorcio sentimental, ese que no pueden manejar ni jueces ni abogados, ese que depende en exclusiva de nosotras. El divorcio sentimental es la disolución del amor, la quiebra afectiva, es decir, el final de lo que sentíamos hacia nuestra pareja. Se cumple el día que descubres que es mejor un buen divorcio que un mal matrimonio. Ya sabes que no es tu marido, llegó la hora de que lo conviertas en una buena expareja porque, así como un matrimonio puede tener fecha de caducidad, un ex es, como los diamantes, para siempre.

Para evitar la sensación de debacle, hay que tener en cuenta una serie de actitudes a tomar a partir del momento en que dejas aparcada definitivamente la alianza en la mesilla de noche:

Mejor, bien asesoradas

Hay que buscar buenos consultores legales y económicos que nos ayuden a alcanzar acuerdos en los asuntos relacionados con los hijos y un futuro con bienestar. Ellos conseguirán que no nos creemos falsas expectativas respecto a lo que podemos obtener a través de las guerras interminables. Los asesores nos ayudarán a luchar por lo que merecemos y a ceder en lo que es justo.

Mirar hacia delante

Hay que aprovechar la oportunidad que te da la vida para empezar desde cero sin cometer antiguos errores. Hay que seguir avanzando porque, si nos paramos y solo pensamos en lo que pasó, nunca lo superaremos. No deberíamos caer en la dramatización; una separación solo es un obstáculo de los muchos que acabamos encontrando en nuestra vida.

No debemos olvidar nunca que él era nuestro marido, pero no nuestra propiedad. Hay que saber dejar ir a quien no quiere estar a nuestro lado. Y recordad: es mejor vivir sola que vivir en la impostura, en la infelicidad y en la hipocresía.

Cuando el amor acaba en batalla

> Oliver Rose: «Alguien que haga un paté como este no puede ser mala persona».
> A lo que Bárbara Rose responde: «Eso depende de qué esté hecho el paté».
> *La guerra de los Rose*. Danny De Vito, 1989.

Hace unos días tuve la suerte de volver a encontrar en la programación de televisión la película norteamericana *La guerra de los Rose*. Muchas de vosotras la habréis visto, pero, por refrescaros la memoria, os contaré brevemente que trata de la ruptura de un matrimonio perfecto, casi modélico, con una vida cómoda, dos hijos y muy pocos asuntos reales de los que preocuparse. Esa pareja idílica comienza a tener problemas cuando la esposa decide que su vida está vacía siendo ama de casa, esposa y madre, que aspira a hacer algo más y quiere iniciar una aventura empresarial. Entre los Rose el amor ha terminado y decide pedir el divorcio. Es el momento en el que dos intolerantes inician una guerra feroz, con ataques desproporcionados. Se trata de una batalla sin sentido de dos individualidades que no quieren ceder un ápice. El cóctel es explosivo: la obcecación, la lucha de la esposa por superarse y salir de la mediocridad, un abogado especialista en divorcios, la evolución del carácter de los protagonistas hacia la psicopatía, los cimientos de una familia que se tambalean y, como telón de fondo, la lucha por una casa espectacular. Por supuesto, cuando mezclas estos ingredientes todo termina en tragedia. Realmente, la película es la historia de dos intransigencias llevadas hasta sus últimas consecuencias, con un terrible final para que el espectador saque una conclusión ejemplarizante, una moraleja. Una pareja que parecía tenerlo todo acaba perdiéndolo por el enconamiento de sus posturas, por no ceder ni un centímetro en sus posiciones.

Os la recomiendo vivamente. Cuando la veáis, sacad una enseñanza útil: no debemos consentir que los divorcios se conviertan en «la guerra de...» (y aquí, que cada uno coloque su apellido). Porque, no nos engañemos: aunque cada vez más se tienda al consenso, proliferan las separaciones con tintes dramáticos. Y esas contiendas te destruyen.

En una ocasión, me contaron el caso de un profesor de universidad que tenía una aventura de larga duración con una alumna. La esposa tuvo conocimiento del asunto y, utilizando una pequeña moto, seguía al marido cuando salía de casa en coche. Por supuesto, acabó teniendo evidencias de que aquello que al principio tan solo sospechaba era cierto. Así que, un día, cuando él llegó a casa, descubrió todas sus cosas en la acera; su mujer las había lanzado por la ventana. Su ropa, sus libros, los cedés, los objetos personales, el ordenador y su material de trabajo formaban una pirámide. Ahí, en la calle, se había formado un auténtico *monumento* al desamor y al hartazgo por la infidelidad.

Lo que está claro es que no existe ningún proceso de divorcio en el que uno haya ganado en todo y otro haya perdido en todo, los dos se dejan mucho en este camino. Mantener una guerra constante con la expareja anula y reduce emocional y psicológicamente, es como si no hubiera terminado el matrimonio, como si solo mantuviésemos activado todo aquello que nos hace profundamente infelices.

Cuando uno de los dos no quiere divorciarse, las situaciones producen mucho estrés y mucho desgaste emocional en los dos miembros de la pareja. Conozco un caso en el que ella no cedía ni un milímetro en sus peticiones, de manera que solo llegar al proceso costó cinco años de gestiones de abogados. Una vez que hubo sentencia, empezaron las apelaciones, con las que estuvieron casi otros dos años, y después se solaparon las querellas por motivos económicos. Por unas causas o por otras, llevan liados más de diez años, pagando abogados y pasando por los juzgados a menudo. Cuando pregunté cual era la causa de tal enconamiento, la exesposa me dijo que ella no se quería divorciar, que era muy religiosa y no lo podía permitir.

Al respecto, vienen a cuento las palabras del clérigo Mike Murdock, quien manifestó que «muchos problemas no requieren oración, sino decisión». Creo que Murdock está en lo cierto. Considero que la venganza y el odio le hacen más daño a sus creencias que soltar las amarras de alguien que ya lleva más de diez años haciendo su propia vida. Querer ganar a toda costa, no ceder ni mínimamente en las exigencias y hacer todo lo posible para que este terrible capítulo de nuestras vidas permanezca abierto es como tener una herida incurable y dolorosa sin cicatrizar.

A la conclusión a la que he llegado es que el divorcio en sí mismo no es un problema; la auténtica dificultad surge de la actitud de las personas cuando se desata el proceso.

Conozco el caso de otra mujer que repite incesantemente que lo que más desea en la vida es que termine su divorcio. La realidad la contradice porque, mientras así se expresa, ha dado orden a su abogado para que busque cualquier estratagema que dilate el proceso, con el fin de impedir la nueva relación que ha iniciado su ex. A todo esto hay que sumar que ella ha empezado también una relación, pero el nuevo enamorado comienza a estar harto de que el único tema de conversación con ella sea lo malo que es el exmarido y la mala vida que tenían juntos. ¡Cuánta salud mental ganaría cerrando esta página ya pasada! Le auguro una nueva relación bastante breve: nadie soporta el relato de un divorcio ajeno retransmitido día tras día.

En resumen, las relaciones conflictivas tras un divorcio causan daño a uno mismo, al ex, a los hijos y, especialmente, amenazan el futuro de todos los implicados. A ellas les impide hacer frente a la vida, impidiéndoles establecer nuevos objetivos. Y a los niños les hieren las rencillas de sus progenitores; se trata de un daño que se ocasiona mientras están asistiendo a ese conflicto, pero también en tanto que condicionará la forma en la que ellos encararán sus amores el día de mañana.

EL ASESORAMIENTO LEGAL

> «Abogado experto en divorcios express y mutuos acuerdos solución extrajudicial. Soluciono sus problemas en horas, en pocos días. No sufra más situaciones incómodas, ni infidelidades. Consigo su tranquilidad por poco dinero».
>
> Anuncio aparecido en la sección de contactos de un periódico de ámbito nacional.

Y, cuando la guerra se pone en marcha, no queda otra solución que dejar en manos de los jueces la separación. En los divorcios contenciosos, el juzgado establece todos los asuntos relacionados con la custodia, visitas y vacaciones de los hijos, pensiones alimenticias y/o compensatorias, uso de la vivienda y todo lo relacionado con la situación de la pareja.

Para iniciar todo el proceso —nunca se insiste lo suficiente— hay que buscarse un buen abogado con experiencia en divorcios para que nos asesore en todas las dudas que surgirán, que serán muchas. Dice el refrán: «pleitos tengas y los ganes», como recomendación irónica para huir de ellos más que de las tormentas. Las minutas de los abogados, las costas de los procesos —sin contar con el desgaste psicológico— suponen una sangría económica. En el mejor de los supuestos conseguirás lo demandado…, pero, a veces, la sentencia te da un revés, con lo que todo se complica.

Queremos que sean los pleitos y los jueces los que resuelvan nuestros problemas de pareja, pero eso es imposible; lo único que ellos consiguen es establecer acuerdos en los que los hijos salgan beneficiados y en los que ninguna de las partes acabe especialmente perjudicada. Antes de iniciar cualquier trámite, se nos tiene que grabar a fuego: los jueces se basan en las pruebas aportadas por los dos, no en los relatos que les hacemos llegar, por muy reales que estos sean. Las situaciones, para que tengan credibilidad y base legal, tienen que estar probadas; no fantaseemos con la idea de que nos van a dar la razón solo porque nuestra historia suena convincente.

Un buen abogado, el mejor tesoro

Como he dicho anteriormente, lo primero que debemos plantearnos es encontrar un buen letrado y un procurador, independientemente de que hayamos sido nosotras las que hayamos planteado la ruptura o, por el contrario, lo haya hecho la otra parte. En caso de no contar con recursos suficientes, podrá solicitarse la asistencia legal gratuita si se prueba que en el momento del divorcio no existe solvencia económica.

Como en todas las profesiones, en el campo de los abogados los hay buenos y, digamos, «menos buenos». Por eso, si estás buscando uno que te represente, no olvides estos detalles a los que aludo a continuación.

Existen letrados que, además de orientarte legalmente, se convierten en psicólogos, consejeros financieros, amigos, confesores y paños de lágrimas ocasionales, y hasta te asesoran para evitar malas decisiones.

Pero también los hay que incumplen y olvidan su papel de asesores y pasan a convertirse en un quebradero de cabeza más. Existen letrados que fomentan las disputas, cortocircuitan los posibles cauces de comunicación entre la pareja y mantienen *sine die* las situaciones de caos. He oído a algunos abogados narrar situaciones en las que no solo toman partido, sino que ellos mismos parecen parte implicada. También están aquellos que impiden la consecución de acuerdos porque quedaría interrumpida una importante fuente de ingresos.

En el colmo del desatino, me contaban el caso de un abogado que llevaba una revisión de sentencia para el marido y que, ante la posibilidad de un acuerdo porque la ex estaba pasando por un delicado momento de salud, comentó: «Lo que tienes que hacer ahora es aprovechar que está débil y acabar con ella. Yo de joven le pedí salir y no tuvo ninguna consideración al pasar de mí; ahora tampoco hay que tener mucha con ella». Esta anécdota, que no es más que un hecho puntual —no hay que generalizar, ni sacar de contexto—, nos enseña que los abogados, al igual que el resto de los mortales, también se dejan llevar por las bajas pasiones.

Mi divorcio fue de mutuo acuerdo, no discutí y, en algunos aspectos, salí perjudicada, pero en ese momento creí que era lo mejor para mí y lo que menos afectaría emocionalmente a mis hijos. De todas formas, con lo que ahora sé, he llegado a una doble conclusión: por un lado, que, sin un juez que intermedie, resulta complicado que los abogados sean objetivos con las dos partes; por otro, que en una separación todos salen perdiendo, los únicos que ganan algo son los letrados.

Cuándo recurrir a la ayuda de profesionales: mediadores familiares, psicólogos

> «Cada relación incrementa una fortaleza o una debilidad dentro de ti».
>
> Mike Murdock (1946), clérigo estadounidense.

Cuando la expareja no llega a ningún acuerdo, por pequeño que sea, y las personalidades y las posiciones se enquistan, es conveniente acudir a los mediadores. El error es que solicitamos su colaboración cuando la situación es ya insostenible y los daños emocionales ya están hechos. El mediador debería participar en la solución de los problemas con carácter preventivo, no cuando las cosas ya se han tornado irreversibles. Equivocadamente, este papel lo han estado realizando solo los abogados a base de buena voluntad, pero, actualmente, son los propios letrados los que recomiendan acudir a este tipo de profesionales, preparados para evitar los procesos largos, farragosos, vengativos y enconados.

Las mediaciones son ayudas e intervenciones neutrales e imparciales destinadas a contrarrestar los efectos negativos de las separaciones y a fomentar los acuerdos. No es una tarea fácil acercar a dos personas que no han manejado bien un divorcio y lo han convertido en una batalla de odios e intereses. La mediación puede enfocarse desde varios puntos de vista. Existen distintos profesionales y cada uno de ellos contribuye a paliar los efectos devastadores de la ruptura.

Sanación de la mente

Existen profesionales vinculados con la psicología que orientan para superar el sentimiento de soledad, la obsesión por la expareja e, incluso, la manipulación que pueden llevar a cabo los hijos. Estos psicólogos, o terapeutas, se encuentran con mujeres y hombres que deben afrontar el dolor, la rabia, la culpa y los deseos de venganza porque han hecho del conflicto su objetivo vital. Pueden trabajar de forma individual, con la pareja, incluso con los hijos. Son convenientes, tanto durante el proceso como una vez finalizado este, para superar los traumas y los miedos.

Reestructuración de la vida familiar

Abundan los mediadores familiares, o consultores de pareja, que, a través de conversaciones y terapias, ahondan en los problemas de una relación y las causas de la ruptura.

Dentro de los mediadores de familia, me gustaría reconocer la labor que realizan los llamados Puntos de Encuentro Familiar. Estos centros tienen como fin garantizar los derechos de los hijos en la relación con sus padres, cuando el menor no convive con uno de ellos. Son espacios con profesionales que propician la seguridad y el bienestar de los niños, aplicando el régimen y los derechos de visita al cónyuge con el que no conviven. Estos centros son imprescindibles cuando se dan situaciones de violencia y maltrato familiar, o existen medidas de alejamiento de uno de los miembros de la pareja respecto al otro. He tenido la suerte de conocer alguno de estos puntos, y he podido comprobar que son lugares pensados para los pequeños, con espacios para su diversión, donde se encuentran muy cómodos para reunirse con su familiar. Sé que, ni siquiera en estos ámbitos, las situaciones son fáciles, por eso elogio la preparación del personal que atiende los Puntos de Encuentro, capacitado para enfrentar todo tipo de realidades, incluso la agresividad de los que allí concurren.

Me entristece saber que, a causa de la crisis, muchos de estos lugares de mediación y encuentro familiar —dependientes de las subvenciones públicas por la importante labor que llevaban a cabo— se han visto afectados por los recortes presupuestarios; incluso se han cerrado y han dejado de prestar estos servicios básicos. Es necesario pensar que existen situaciones de violencia familiar o de desarraigo que seguirán produciéndose con crisis o sin ella; por tanto, hay prestaciones que son indispensables, y la posibilidad de ofrecerlas a quien pueda precisarlas no debería depender de una decisión política desafortunada o de un presupuesto más o menos alto.

Otra figura digna de mención es la del Mediador de Integración Social. Su papel consiste en identificar las condiciones familiares, materiales y del entorno en el que se desarrolla la vida de los hijos tras una ruptura. Es habitual recurrir a ellos cuando se tiene constancia de que los menores pueden estar sometidos a situaciones de marginalidad y exclusión social. Estos mediadores suelen comparar los medios económicos de cada uno de los cónyuges, los aspectos relacionados con la vivienda, la situación laboral, la atención sanitaria, la educación y otros asuntos de la vida cotidiana que afectan a los hijos; después, emiten un informe para que los pequeños vivan en el entorno más adecuado.

Yo soy una firme defensora del papel del mediador, sin embargo, hay que reconocer que en nuestro país todavía no tenemos la costumbre de acudir a ellos cuando se presentan los primeros conflictos. ¡Cuántos divorcios podrían evitarse si las parejas recibieran el asesoramiento adecuado! Estamos acostumbradas a ver, en las películas, parejas que al primer atisbo de conflicto o infidelidad acuden a un consejero familiar para recibir ayuda. En España tenemos más propensión a echar mano de familiares y amigos que a involucrar en nuestros asuntos privados a terceras personas; este es un error que habrá que superar. Porque gracias a la mediación no hay ni vencedores ni vencidos, los conflictos se resuelven en un clima de acuerdo en el que ambas partes salen de su obcecación para buscar el bien común. Entonces, se consiguen ventajas que, de otra manera, resultarían impensables. Por ejemplo, por señalar solo algunas, se facilita el diálogo y se evita airear los trapos sucios; quedan aparcados los deseos de venganza y la rabia; eludimos el paso por los juzgados o ahorramos dinero, porque, con la participación de un mediador, solo se necesitará un único abogado y un solo procurador para las dos partes.

Desde luego, no cabe duda de que todo lo que ayude a limar asperezas en un conflicto será bienvenido.

¿PUEDE CONVERTIRSE EL EX EN UN AMIGO?

«Hoy me he peguntado 80 veces que por qué sigo queriéndote.

Que por qué sigo pensando que eres tú quien me hará feliz, si no me aportas nada, no te importo nada, en lo único que piensas es en ti.

No me creo que no aparecieras en aquel concierto, no me creo tenerte tan cerca y a la vez tan lejos, no me creo que no seas capaz de echarme de menos, esa facilidad para tachar recuerdos, que no te gusten los besos.

No me creo que seas tan cobarde y no cumplas promesas, que me hayas anulado y desaparecieras, que esté llorando por ti.

Mañana, al salir el sol, se habrá borrado para siempre del colchón tu olor.

Que 80 son las veces que al día me acuerdo de ti. Las mismas que recuerdo que te tengo que olvidar».

Canción «80 veces», de María Rozalén, 2012.

Con los papeles firmados, llega el eterno dilema: ¿cómo relacionarnos con aquel que formó parte de nuestros afectos? La tarea resulta complicada, aunque es necesaria, más aún en el caso de que haya hijos por medio y si queremos que todo fluya de forma correcta. El tiempo, como en tantas cosas, marca el ritmo en esta difícil misión.

Cuando aún duele

En un primer momento es muy difícil que lo miremos de forma amistosa, las heridas están abiertas, todo es demasiado reciente para que podamos plantearnos el perdón. En la fase de inicio de un divorcio, cuando vemos a nuestro ex, podemos notar cómo llega a nuestra mente un aluvión de recuerdos, algunos de los buenos momentos, los menos; más abundantes los que nos causan dolor. La memoria es así de selectiva: para forzarnos a superar el trance, evocamos las emociones negativas que han propiciado el divorcio y no tenemos ninguna intención de disimularlas. Si cuando éramos pareja costaba manejar algunas situaciones que se acababan yendo de las manos, imaginad ahora, cuando ya todo nos separa y casi nada nos une.

Firmar la tregua

Pasado un tiempo, nos damos cuenta de que es mejor tener una relación correcta y llegar a ser capaces de desarrollar ciertas aptitudes para la negociación en las cuestiones que aún nos atan: los hijos y los asuntos económicos. Si todo esto que he planteado no sale de forma natural, los hijos son una buena excusa para que actuemos con cordura y no nos dejemos llevar por inquinas viscerales.

Aunque hay casos en los que cuesta especialmente sonreír al contrario... Si uno rompe la pareja por otra persona, considero que será prácticamente imposible que se dé el perdón. Así que no hay que darle más vueltas; en este supuesto, plantear el tema de la amistad es como plantear que existe vida en otros planetas.

Hace unos días me presentaron a una estupenda mujer, muy abierta y simpática. Hablaba constantemente de su hijo de 10 años y no nombraba para nada a su pareja. Le pregunté si estaba separada y me contó su historia. Un día su marido llegó a casa y, sin mediar discusión ni charla alguna, le dijo que ya no la quería y que se marchaba. Sin siquiera recoger sus cosas —eso fue tarea de ella— la dejó allí con su hijo. De esto hace dos años. Tiempo después, ella se enteró de que mantenía una relación con una mujer casada, bien situada socialmente, que se negaba a divorciarse de su marido porque continuar casada le suponía una enorme ventaja económica. En estos dos años, me contaba, lo había pasado muy mal, había vivido un duelo terrible, con momentos de auténtico horror porque, en el fondo, no encontraba explicación a lo sucedido. Tras dos años en los que no había movido ni un papel ni había iniciado trámite alguno para legalizar esa situación de separación de hecho —la emocional, por parte de ella, estaba más que terminada—, un día él la buscó y le planteó que su historia con la otra mujer había concluido y que, aunque seguramente le resultaría difícil volver a sentir amor por ella, podían retomar la convivencia, por guardar las convenciones sociales y por la estabilidad del hijo en común, y que después ya se vería lo que iba surgiendo. Ella todavía no ha parado de reír ante la propuesta. Ahora es cuando piensa empezar los trámites para que el divorcio sea un hecho, no solo una intención. Algunos hombres pretenden estar tan seguros de los sentimientos que creen que despiertan que, tras abandonos y desprecios, llevados por su vanidad, siguen convencidos de que pueden volver a convivir con sus esposas porque ellas estarán donde ellos las dejaron al partir, esperando las migajas sentimentales. ¡Qué ego tienen algunos!

A esta mujer a la que me refería le llegó la propuesta en ese instante en que las tensiones se suavizan. Por fin, se presenta un momento en el que se puede relativizar. Y así, con el tiempo, es posible ver a la expareja como alguien que ya no te causa daño, alguien que no te provoca ni amor ni dolor, aunque, desde luego, nunca como a un amigo. Como mínimo tiene que existir respeto; sé de muchos casos de buena relación y buen entendimiento, pero pocos conozco de amistad entre dos ex.

En relación con lo anterior, quiero contaros el peculiar caso de unos amigos. Él está divorciado desde hace 30 años, tiene dos hijas mayores y está casado por segunda vez. Hasta aquí todo es normal. La singularidad viene porque las que mantienen una buena relación, aunque yo no la calificaría de amistad, son las dos mujeres, la ex y la actual. Ellas siempre han buscado el bien de las hijas del primer matrimonio, y eso ha favorecido la cordialidad entre ambas. El respeto es tal que, en la boda de una de las hijas, ambas realizaron un papel similar al de madrinas. No hace falta aclarar que las hijas han salido beneficiadas de esa magnífica relación entre la madre y la que también ha hecho funciones maternas.

En mi caso, entre mi exmarido y yo siempre hubo una situación de respeto y corrección en las formas. Mantuvimos el diálogo respecto a nuestra hija Sofía y a las decisiones que debíamos tomar en común sobre ella, primando en todo momento nuestra responsabilidad hacia la niña. En la actualidad puedo decir que hemos preservado esta buena relación, una facilidad para llegar a acuerdos y un ambiente distendido en las circunstancias en las que tenemos que estar juntos (eventos relacionados con nuestros hijos y nuestros nietos). La cita que abre este capítulo es de la cantante María Rozalén, hija de un gran amigo y ahijada de mi exmarido y mía. Para que veáis que los lazos nunca se cortan definitivamente…; siempre te acaban uniendo las cosas más dispares. Buena relación sí, pero no amistad: hay muchas cosas que nos unen para tener armonía, pero no se dan los motivos para que exista la amistad.

Comparto aquí con vosotras la frase que, con gran ironía, dice siempre una amiga: «Si fuese un buen amigo, no me habría divorciado de él». Tenías amistad y tiempos felices y, pese a eso, no has podido mantener el matrimonio; imagina si ahora, ya separados, vas a convertirte en amiga de quien dejó de quererte o buscó a alguien que le quisiera y que no eras tú.

4
UN ASUNTO QUE AFECTA A MÁS PERSONAS

LOS HIJOS: CÓMO AFRONTAR CON ELLOS EL DIVORCIO

> «Lo que hace más infelices a las personas es el tener la impresión de que malgastan su tiempo».
>
> Mario Vargas Llosa (1936), escritor peruano.

Después de la pareja, las personas que más sufren los efectos de un divorcio son los hijos. Sus reacciones dependen de su edad, de su fortaleza personal y de las circunstancias específicas del propio proceso. A veces, los chiquillos, sin llegar a saber qué está pasando, perciben que algo ocurre: discusiones, peleas, malas formas, nulas demostraciones de afecto, desaparición temporal de uno de los progenitores. Cuando a los hijos se les cuenta que un divorcio, en la mayoría de los casos, no tiene marcha atrás, ellos responden ante la noticia con tristeza, enfado y preocupación. Van a sufrir multitud de cambios y, en algunas ocasiones, se les va a pedir que se posicionen, que reaccionen y participen en las batallas de sus mayores. La edad de los niños va a resultar determinante en todo el proceso. Aquí os dejo alguna de mis reflexiones sobre este punto.

Los menores de doce años

Cuando los hijos son pequeños, suelen sufrir al perder el apoyo de los dos progenitores, especialmente si se quedan con aquel al que están menos unidos afectivamente. Los niños pequeños pueden llegar a tener problemas psicológicos y físicos que son llamadas de atención ante lo costoso que les resulta asumir que no podrán gozar todo el tiempo de papá y mamá. A partir de los ocho años, más o menos, edad en la que niños y niñas superan la primera infancia, hasta la preadolescencia, son habituales las regresiones infantiles; resurgen las pataletas, a veces mojan la cama, pierden el apetito, se vuelven desobedientes, pueden aparecer los problemas de sueño, etc.

Tras la adolescencia

A partir de los doce años, los hijos tienen la capacidad de decidir con cuál de los dos quieren vivir. Esto, que debería ser un proceso respetuoso y sencillo, se convierte en un cúmulo de presiones y chantajes emocionales. La adolescencia es una edad terrible para que los chavales afronten el proceso, y pueden pasar por un carrusel de actitudes y sentimientos: rebeldía, indiferencia, rencor, desafío, apatía por los estudios, inadaptación social, desafección. En los casos más graves pueden rozar los límites de lo intolerable y aproximarse a situaciones difíciles de reconducir, relacionadas con el mundo de la delincuencia, el alcohol o las drogas. No quiero ser alarmista, porque, generalmente, solo suelen ser pequeños problemas de adaptación, etapas de peor humor y de actitudes desafiantes, pero hay que estar muy atentas a los cambios de comportamiento, a las posibles regresiones o a las situaciones «raras» por las que pueden atravesar nuestros hijos y que, a la postre, son indicativas de problemas que quizá resulten muy serios.

Los hijos mayores suelen sobrellevar mejor los daños del fin del matrimonio; la edad les ayuda a aportar objetividad y serenidad para reaccionar. Y eso se traduce en que los vínculos con ambos progenitores sean mejores. Los adultos son capaces de deducir los motivos de la separación. Pero hay detalles que no podemos perder de vista si queremos que todo fluya: los que nos separamos somos nosotros, por tanto, hay que intentar no apoyarse en ellos, incluso aunque ellos se ofrezcan. No hay que olvidar que son hijos de los dos.

Lo ideal sería que no tuvieran más información de la necesaria. Hay que valorar su cariño, pero no convertirlos en un hombro en el que llorar ni tampoco en consejeros sentimentales. A veces se cree que, puesto que se trata ya de chavales mayores, pueden participar en el establecimiento de los acuerdos. Eso es un error. Incluso hay tendencia a exponer delante de ellos demasiados detalles concretos sobre las causas que han terminado con el amor entre sus padres; y ahí están los que se recrean narrando las malas costumbres, las aventuras, las infidelidades, el mal carácter, las malas formas, las situaciones de violencia o los vicios del excónyuge.

Sea cual sea la edad de nuestros retoños, no hay que olvidar que el divorcio, que es duro para nosotros, lo será también para ellos. Por eso hay que seguir una serie de pautas para evitar convertirlos en víctimas.

Cuéntaselo

Por muy pequeño que sea el niño, debes comunicarle la noticia, y cuanto antes mejor. Por supuesto, con palabras adaptadas a la edad, pero sabiendo que desde bien temprano ellos comprenden mensajes cortos y sencillos. Si la comunicación en la pareja es correcta, conviene que los dos estén unidos cuando se dé este paso, así nuestro hijo recibirá la misma versión y no información contradictoria o interesada. Desde luego, no es el momento de exponer las causas reales, ni de hablar con odio o airear los trapos sucios. También hay que permitir que los niños hagan preguntas y contestarles con la mayor sinceridad posible, aunque a veces no se tengan todas las respuestas.

«Hijo, tú no tienes la culpa»

El mensaje que se le transmita a los hijos puede tener mayor o menor carga emotiva, pero dejará claro que el divorcio se produce porque hay problemas y desacuerdos entre los padres, nunca puede quedar, ni siquiera en el aire, que los hijos son los responsables de una separación.

He conocido casos en los que los niños tratan de mostrarse permanentemente de buen humor y hacen todo lo posible para agradar a ambos progenitores, creyendo que así se terminarán los problemas y todo volverá a la felicidad. «¿A que me estoy portando bien?», preguntaba constantemente la hija de una amiga cuando sus papás, ya separados, se reunían para tratar algún tema. Ella creía ser la culpable de los conflictos que habían surgido entre sus mayores y, en su ingenuidad, pensaba que, si les agradaba con su buen comportamiento, su padre volvería a estar de forma permanente en casa y con su madre.

De la misma manera, hay que dejar meridianamente claro que el amor se ha terminado entre la pareja, pero que ellos van a seguir sintiéndose igual de amados por la madre y por el padre.

La vida sigue igual

Hay que evitar al máximo los grandes cambios en la vida cotidiana de los menores; todas las rutinas que podamos mantener serán bienvenidas. Aun así, los hijos deben estar informados en todo momento de los cambios que se avecinan, tanto de los relacionados con la residencia como de las transformaciones económicas y las que afectarán al estilo de vida. Y no te extrañes si ellos mantienen durante un tiempo la esperanza de que sus padres volverán a estar juntos. Poco a poco asumirán que el divorcio es una ruptura definitiva y se adaptarán a la nueva situación; a veces lo hacen incluso antes que nosotras.

No los subas al *ring*

Los hijos nunca se deben utilizar como herramienta para vengarse de un ex. Rompe el alma ver algunas imágenes en los medios de comunicación en las que, ante la reivindicación de los derechos de visita por parte de la madre o del padre, se forman auténticos dramas porque los chavales son utilizados solo para hacer daño al otro.

Por tanto, hay que mantener a los hijos alejados de las discusiones, los conflictos y las explicaciones legales; de lo contrario, recibirán un daño tremendo y esa carga de información innecesaria a la que antes me refería. La hija de un amigo recién separado, con cinco años, respondía así cuando le preguntabas qué había hecho durante el fin de semana con su mamá: «¡Nos hemos quedado en casa, porque papá ha salido de nuestras vidas…!». Como podéis imaginar, no era una frase fruto de la fluidez lingüística de la pequeña, sino una expresión que la madre había pronunciado en su presencia, desde luego con no muy buena intención.

Para evitar casos como el de esta pobre criatura, debes apartar las actitudes de crítica, los insultos y las manifestaciones de desprecio hacia tu ex cuando tus hijos estén delante; pueden causar un grave perjuicio en su estado emocional. Como hay veces que tendrás auténtica necesidad de *darle un repaso,* trata de hacerlo con los amigos o la familia, aprovecha cuando estés fuera de casa y no dejes que ellos estén delante.

Una amiga divorciada tenía identificado el número de móvil de su ex bajo la denominación «Imbécil», hasta el día en que sonó el teléfono y lo cogió su hijo, lo leyó y preguntó: «¿Quién es Imbécil?». Ante la perspectiva de tener que dar muchas y muy desagradables explicaciones, cambió el adjetivo y puso el nombre propio de su ex en los contactos. Sé que ahora, al leer su ejemplo en este libro, su comportamiento le producirá bastante vergüenza. Y es que a veces nos dejamos llevar por nuestras emociones más primarias.

Además, debemos tener claro —y tantas veces se olvida…— que los hijos no pertenecen de forma exclusiva a la madre o al padre; es imprescindible la responsabilidad y la participación de los dos en su desarrollo emocional, económico y educativo tanto presente como futuro.

Pedir ayuda

Puede que en algún momento nuestros hijos necesiten ayuda o apoyo psicológico. No hay que tener ni miedo ni vergüenza a echar mano de especialistas, para eso están, para colaborar, no para juzgar. En este terreno, conviene notificar los cambios familiares en su centro escolar para que estén atentos a la más mínima modificación en su rendimiento académico, en su actitud o en su comportamiento.

Dos mejor que una

Padre y madre deben responsabilizarse de las tareas formativas que les corresponden, sin usurpar el papel del otro. Aunque la comunicación con la expareja sea escasa, incluso nula en otros terrenos, aquí toca hacer de tripas corazón y mantener el diálogo por el bien de los hijos. El padre debe participar, en la medida que le corresponda, en las decisiones, en la organización de las cuestiones relacionadas con la disciplina y en la educación. Recalco lo de «en la medida que le corresponda» porque participar no quiere decir controlar ni, mucho menos, hacerte presente —al amparo de justificaciones relacionadas con estas cuestiones— en la vida del otro sin fecha de caducidad.

Los asuntos de disciplina deben estar consensuados por ambos progenitores, no puede darse el caso de que en casa de uno se permita todo y sea en casa del otro donde únicamente se eduque y se marquen límites. Horarios de dormir, menús, organización de las tareas escolares y otras decisiones relacionadas nunca se tomarán de forma unilateral.

Tampoco puede seguir manteniéndose al padre como la figura que impone miedo o respeto; la madre deberá marcar y aplicar las normas ella sola. Hay exparejas, separadas ya varios años, en las que ella todavía atemoriza a los hijos con el consabido «¿A que se lo digo a tu padre?», para que sea este el que actúe con mano dura. Esto es un despropósito, y lo único que hace es favorecer que a la madre se le pierda el respeto.

No te conviertas en el juguete de tus hijos

La comunicación entre los adultos evitará que los pequeños les manipulen. Se dan casos en los que los hijos aprovechan la falta de diálogo para conseguir lo que quieren de los dos; es decir, manejan a mamá y papá a su antojo, como si fueran marionetas.

Como ejemplo de lo anterior, os cuento que el hijo de un matrimonio divorciado que conozco, ambos con buena posición económica, conseguía con astucia que sus padres compitieran para ver quién le hacía el mejor y más costoso regalo: teléfonos móviles, ordenadores, viajes, artículos deportivos, artilugios tecnológicos de todo tipo, motos y, ahora que está en edad de tenerlos, los mejores modelos de coche. El padre intentaba suplir la falta de atención y acallar su culpabilidad a fuerza de obsequios. La madre entraba en competición pensando que, si ella no hacía lo mismo, el hijo querría más al padre. Al final, el chico se sale con la suya porque está consentido en exceso. ¿Resultado de todo? El chaval no estudia ni trabaja como para ser premiado, se ha convertido en un mimado y un manipulador. Por si fuera poco, desconoce el esfuerzo que cuesta conseguir las cosas.

EL TEMA DE LA CUSTODIA

> «Antes de casarme tenía seis teorías sobre el modo de educar a los niños. Ahora tengo seis hijos y ninguna teoría».
>
> John Wilmot(1647-1680), poeta y escritor inglés.

El hecho de separarse implica una difícil decisión: con quién van a vivir los hijos. Cuando se llega a la ruptura de mutuo acuerdo, el convenio regulador acordado por los cónyuges será el que establezca las normas de las futuras relaciones familiares, las visitas, los periodos vacacionales, etc.

Otra cosa bien distinta ocurre cuando no hay un acuerdo, entonces es el juez el que decide en qué condiciones quedan los pequeños. La patria potestad, salvo raras excepciones, siempre es compartida entre los dos cónyuges. Sin embargo, para dilucidar quién se queda con la guarda y custodia de los hijos menores se tendrán en cuenta las necesidades afectivas, la cercanía con otros familiares, la disponibilidad de los padres para atenderlos y los modos de vida de cada uno.

En un 95 % de los casos la custodia se le otorga a la madre, porque es ella la que, en la gran mayoría de las ocasiones, se dedica más tiempo a la atención y al cuidado de la prole. Este hecho va cambiando poco a poco y comienzan a darse casos de padres que solicitan la custodia porque se comprometen a destinar más tiempo a la educación de sus pequeños. Al progenitor que no tiene la custodia se le programará un régimen de visitas que, generalmente, suelen hacerse durante los fines de semanas alternos, y el tiempo de vacaciones se dividirá al cincuenta por ciento entre el padre y la madre. Al principio, no solo hay que respetar los horarios y días de visita, sino forzar a que se cumplan.

Tras el divorcio, existen tres modelos de custodia para los hijos. La total, que es la que asume por completo uno de los progenitores; la compartida, según la cual los niños pasan temporadas con cada uno de su papás, y la legal compartida. En este último modelo los dos comparten la custodia, pero los niños viven la mayor parte del tiempo con el padre o con la madre y pasan fines de semana alternos y alguna tarde con el otro.

Los jueces están apostando por conceder, cada vez más, las custodias compartidas. Hay menores que se adaptan bien a estas situaciones, que, como digo, cada vez se propician más por parte de los jueces, pero también hay niños a los que la sensación de vivir cambiando constantemente de residencia o de barrio, según vivan con mamá o con papá, les causa mucho desasosiego. Una amiga que se encuentra en esta situación de custodia compartida me comentaba que su hija de seis años usa más la maleta que los juguetes.

El diálogo entre los ex resulta fundamental en caso de compartir la custodia de los niños. En caso contrario, esta fórmula abre la puerta a que madres y padres anden siempre a la gresca con las notificaciones de cualquier decisión que el otro tome y que afecte a los hijos. Me contaron el caso de una nueva pareja que se llevaba de viaje sorpresa a los hijos adolescentes de los matrimonios anteriores de ambos. La exmujer de él estalló en cólera —porque no conocía el destino del viaje— y se negaba a entregar los documentos identificativos de sus hijos. Una vez que ese trámite se solucionó, porque los chicos los consiguieron por su cuenta, amenazó con enviar a la Guardia Civil al aeropuerto para impedir el embarque, si no se le notificaba previamente el destino. La señora organizó este follón con el que únicamente consiguió ponerse en contra de sus hijos, que rechazaban de plano la intolerante actitud de su madre.

Hay grandes discrepancias sobre cuál es la situación que más conviene y beneficia a los menores. En este, como en tantos temas, cada uno tiene su opinión. No me pronunciaré sobre qué situación me parece mejor o peor, pero siempre defenderé que los menores necesitan estabilidad y que se deben priorizar sus necesidades antes que las conveniencias de los adultos.

Además, conviene no olvidar que, conforme van siendo mayores, los hijos pueden decidir no respetar los tiempos que el juzgado ha otorgado a cada uno de sus progenitores, porque prefieren estar con uno antes que con el otro. Es necesario aceptar estas situaciones y, en caso de negación tajante, es mejor buscar soluciones dialogadas que recurrir a imposiciones o castigos. No hay nada más terrible que llevar enfadado a cualquier sitio a un adolescente al que has impuesto planes que le incomodan.

Y otro punto que me parece fundamental es que hay que evitar a toda costa que la decisión de optar por vivir con uno u otro de los progenitores recaiga sobre los menores, porque pueden desarrollar una suerte de «mala conciencia» o sensación de fracaso con respecto al no elegido. Conforme van creciendo, debemos contar con su opinión cuando se trazan los planes familiares. Conozco un caso en el que el padre, separado desde hace dos años, no sabe qué hacer durante los fines de semana que ha de pasar con sus tres hijos de 6, 9 y 14 años; entonces, los sube al coche y los lleva al pueblo en el que viven los abuelos. Los dos pequeños todavía no plantean grandes problemas a esta rutina quincenal, pero la hija adolescente se enfada y protesta, y han de soportar su cara de póquer durante todo el fin de semana, mientras ella permanece absorta en su música, con los auriculares puestos, o pegada al móvil y despotricando porque la casa de los abuelos «¡ni siquiera tiene wifi...!». Creo que el padre, después de dos años de separación, debería trabajarse un poco más las estancias con sus hijos y aprender a vivir, o a sobrevivir, en familia, que ya tiene edad para hacerlo solo, sin necesidad de recurrir siempre a los abuelos.

Los fines de semana, pizzerías y hamburgueserías están llenas de padres que necesitan que sus hijos coman y que lo desconocen todo acerca de cocinar en casa. Me contaba un amigo que, recién separado, llamó a una conocida para preguntarle qué podía comprar para que sus dos hijos cenaran en casa y no tener que salir con ellos. Ella le sugirió que comprara queso, jamón de York y pan de molde y preparase unos sándwiches. Él fue al supermercado y buscó los ingredientes que había apuntado, cuando el dependiente le preguntó cuánto jamón de York quería, él pidió un kilo. No tengo que explicaros que tuvo jamón para toda la temporada. El pobre señor llevaba las palabras «padre en prácticas» escritas en la frente, el desconocimiento se le notaba a tres leguas. Aprendió que hay que asesorarse sobre los menús y sobre las cantidades.

Con mi experiencia, considero que conviene establecer rutinas, aunque haya que hacerlo en dos hogares diferentes: comer en casa, pasar ratos de juego o de charla, tener preparados los cuartos de los hijos para dormir, crear espacios donde puedan tener sus objetos personales... Todo esto les dará seguridad y sensación de afecto; no siempre hay que estar en la calle poniendo en marcha para nuestros hijos planes trepidantes que, la mayoría de las veces, solo sirven para enmascarar que, en realidad, no se sabe qué hacer con ellos. Dejémonos de tanto cine, bolera, fútbol, parques de atracciones, centros comerciales o máquinas y teléfonos para jugar constantemente. A veces los hijos no necesitan más que el cariño y la compañía, simplemente porque nos echan de menos.

CÓMO IMPEDIR QUE ELLOS SE CONVIERTAN EN VÍCTIMAS

> «Cuando yo tenía catorce años, mi padre era tan ignorante que no podía soportarlo. Pero cuando cumplí los veintiuno, me parecía increíble lo mucho que mi padre había aprendido en siete años».
>
> Mark Twain (1835-1910), escritor estadounidense.

Que los niños salgan damnificados por culpa del fin de una historia de amor es uno de los efectos colaterales más dolorosos de una separación. Los hijos se convierten en víctimas cuando son espectadores de los problemas y los enfrentamientos de sus padres. Sufren cuando ven a los adultos infelices, presencian las malas formas entre ambos y se les imponen cambios de vida traumáticos. Además, vivir en un ambiente de revancha y de manipulación convertirá a los chiquillos en personas que no sabrán manejar sus procesos afectivos correctamente, les generará baja autoestima y, con mucha seguridad, se convertirán en seres inmaduros o resentidos en sus relaciones futuras. Porque, a veces, los padres, de forma más o menos voluntaria, les provocamos un daño irreparable.

El síndrome de alienación parental (SAP)

Es posible que con malicia y falta de honestidad los padres manejen la voluntad y las opiniones de los hijos. A menudo se cuentan mentiras, o medias verdades, en el propio beneficio y para perjuicio del otro progenitor. Cuando esta manipulación se lleva a los extremos, los expertos lo llaman «síndrome de alienación parental», y tiene como fin último romper el vínculo de los hijos con uno de sus progenitores. A los hijos se les pone frente a este terrible dilema: «¿quieres más a papá o a mamá?». En definitiva, se trata de que el pequeño no se mantenga en una pacífica neutralidad. Los hijos convertidos en armas arrojadizas de adultos que no han superado la ruptura. He hablado con varias mujeres que me cuentan que sus hijos, que antes comunicaban normalmente sus actividades cuando estaban con sus padres, ahora se niegan a contar nada de lo que viven; y todo por culpa de que luego se les somete a un tercer grado. Los hijos crean una técnica de protección, haciendo compartimentos estancos de las vivencias con su madre y con su padre para no provocar conflictos que pudieran salpicarles.

Pequeños tiranos

Algunas veces los hijos reaccionan ante el cambio de vida de forma violenta; otros ejercen el chantaje emocional para conseguir cualquier objetivo que se propongan. Y qué decir de aquellos que solo llaman para pedir dinero... Muchos separados ceden ante estas presiones, arrastrados por la culpabilidad.

Conozco un padre que, agobiado por los constantes acosos y malas formas de su hija adolescente, pronunció esa frase en la que no falta el sentido del humor: «Los hijos, que de pequeños están para comérselos, de mayores lamentas no habértelos comido». De hecho, esta niña ejercía una manipulación constante tanto hacia su padre como hacia su madre. Él se reunió con su exmujer y hablaron de todo lo que estaban sufriendo; más tarde, ambos se sentaron a conversar con la hija, que se quedó perpleja y fastidiada al ver que los adultos habían llegado a un acuerdo que rompía totalmente su estrategia. Situaciones como esta solo se solucionan mediante el diálogo entre los padres y marcando a los hijos una disciplina de forma conjunta, porque eso es lo único que elimina la posibilidad de que triunfen sus exigencias.

Al poner en marcha esta estrategia de actuación, como pequeños dictadores, hay chiquillos que gastan todas sus energías en destruir los nuevos afectos de sus padres. Una amiga sufre de forma constante el acoso de su hija preadolescente para que no vuelva a tener pareja. La niña mantiene, como único argumento, que su padre dice que él nunca va a tener un nuevo amor porque quiere entregarse por completo a su educación. Así, la hija exige la misma actitud y la misma dedicación a la madre.

De ahí a que los niños se obsesionen y terminen odiando a las nuevas parejas de sus progenitores hay un paso. Y, por supuesto, lo primero que pretenden es que esa nueva relación explote en mil pedazos. En algunos casos, el deseo de los pequeños es que sus padres solucionen sus diferencias y vuelvan a estar juntos. Lógicamente, la aparición de otra persona les rompe esa expectativa. Cuando una pareja empieza, la relación con todo el entorno suele ser buena —ya se sabe…, en los comienzos se pone toda la carne en el asador para que salga lo mejor posible—. Con el tiempo, las cosas empiezan a fastidiarse; ya no se tienen tantas ganas de agradar y uno no está tan dispuesto a aguantar cualquier cosa por parte de los hijos ajenos.

En este apartado, podría comentaros todo tipo de casos, cada cual más espeluznante que el anterior. Impactante es el de una chica que deseaba hasta tal punto la muerte de la novia de su padre cuando esta tuvo un problema serio de salud, que lo proclamaba a voces por teléfono para que todos lo oyeran. Otro caso es el de la hija adolescente de otra pareja divorciada que llegó a buscar en Internet «formas sencillas» de acabar con la vida de la señora que vivía con su padre. Él accedió accidentalmente a esta información mientras buscaba unas direcciones en el ordenador familiar. El padre me contaba que todavía está impresionado con el hallazgo.

Estos son casos extremos. Para que esto no ocurra, os recomiendo exigir respeto y dar respeto; cosa diferente es reclamar cariño…, eso sí que puede resultar muy difícil de alcanzar si no es algo que surge de manera espontánea. Os sugiero la lectura del libro *La suma de los días,* de la escritora chilena Isabel Allende, que os ayudará a comprender de qué estoy hablando.

Niños olvidados

Hay quienes, a la vez que dicen adiós a la persona con la que han compartido la vida durante años, se alejan también del fruto de esa relación. Se da el caso de progenitores que, como consecuencia de un proceso de divorcio complicado, porque han creado nuevas familias o porque, simplemente, su paternidad o su maternidad no es todo lo responsable que debiera, dejan de relacionarse con los hijos, incluso abandonan el pago de las pensiones de alimentos y cierran cualquier cauce de comunicación.

Una amiga cuyos padres se separaron cuando ella tenía dieciocho años, y que ahora supera los cincuenta, dejó de ver a su padre porque cumplía las tres premisas: el divorcio fue traumático, él formó una nueva familia —en la que tuvo otros hijos— y nunca abonó la cantidad mensual que el juez había asignado para el mantenimiento de sus hijas. Se habían alejado tanto que, incluso, se encontraban por la calle y no se saludaban. Hace unos meses tuvo conocimiento de que su padre había muerto dos años antes, sin que nadie se lo hubiera comunicado. No hubo por su parte ninguna reacción; en realidad, quien había muerto era un completo extraño para ella. Porque un padre es quien ejerce de ello, no el que figura en el libro de familia.

Esas ausencias provocan, en contra de lo comentado anteriormente, que algunos niños adoren a las nuevas parejas de sus progenitores, esos recién llegados que les hacen sentir mejor que los que les dieron la vida. No son los sustitutos de los padres, son personas que crean nuevos lazos, afectos diferentes. Conozco un caso en el que el hijo negó al padre la asistencia a su graduación porque consideraba que quien realmente se había preocupado por sus estudios había sido su padrastro. Los hijos demuestran de esa manera valentía y agradecimiento a quien los trata con cariño.

MADRE DIVORCIADA A LOS CINCUENTA: VIVO Y DEJO VIVIR

«—No dobles la esquina montada en tu bicicleta —dijo la madre a su hija cuándo esta tenía siete años.

—¿Por qué no? —protestó la niña.

—Porque, si lo haces, no podré verte, y cuando te caigas y llores no te oiré.

—¿Cómo sabes que me caeré? —preguntó la niña con voz lastimosa.

—Todas las malas cosas que pueden ocurrirte fuera de la protección de esta casa están en un libro titulado *Las veintiséis puertas malignas*.

—No te creo. Déjame ver ese libro.

—Está escrito en chino y no podrías entenderlo. Por eso debes hacerme caso.

—¿Cuáles son, entonces? —inquirió la pequeña—. Dime qué veintiséis cosas malas.

Pero la madre siguió haciendo punto en silencio.

—¿Qué veintiséis cosas?

La madre siguió callada.

—¡No puedes decírmelo porque no lo sabes! ¡No sabes nada!

Y la niña salió corriendo, montó en la bicicleta y, en su apresuramiento, cayó incluso antes de llegar a la esquina».

El Club de la Buena Estrella. Amy Tan, 1989.

Tras un divorcio, he hecho balance sobre la mujer y la madre en la que me he convertido. Disfruto de un gran momento y mis vástagos juegan un gran papel en ese bienestar. Creo que a muchas mujeres les puede ayudar mi experiencia para saber que se puede salir airosa de esta situación, incluso cuando se ha sobrepasado la *peligrosa* barrera de los cincuenta.

Ahora estoy en un momento vital en el que, de mis cuatro hijos, tres ya están independizados y mi hija adolescente, que vive conmigo, hace que me mantenga al día en tendencias juveniles. Tengo que admitir que con esta edad no me encuentro ya con las mismas fuerzas, tengo menos paciencia, se me hacen más duras las recogidas en los puntos más dispares, me canso más cuando lleno un coche de adolescentes y tardo una hora en distribuirlas por sus casas, y me resulta más pesado asistir a los conciertos de grupos juveniles hasta que te salen solas las letras de las canciones de tantas veces que las has escuchado... Os lo confieso abiertamente: esta labor es agotadora.

Pero, si lo miro positivamente, ahora puedo compartir aficiones con ellos: cine, teatro, viajes, salidas para hacer deporte. Mis hijos, por su edad, ya tienen un montón de posibilidades para explorar todo un mundo de cosas nuevas. Pero siento que a mí, aunque soy de otra generación, todavía me queda mucho por descubrir, porque soy muy vital. Ellos me enseñan, y a mí me gusta poder participar.

A los cincuenta empecé esta segunda juventud, que tiene más ventajas que la primera. A esta edad, ya he pasado la época de la crianza, por lo tanto tengo más tiempo para mí. Atrás dejé las noches en vela cuando eran pequeños y estaban enfermos, la necesidad de compaginar la vida laboral y familiar, las discusiones con mi hoy exmarido porque no nos poníamos de acuerdo respecto a su educación, la recogida de mis hijos adolescentes a horas intempestivas...

Para mí fue una época espantosa, permanentemente preocupada de que no les pasara nada cuando estaban fuera de casa. Más que una madre, en aquel entonces yo parecía un taxista que, además, dormía poco y mal. Me ponía el despertador, porque los recogía a diferentes horas, según la edad y el permiso que cada uno de ellos tenía para llegar a casa. Así, había noches que tenía que sacar el coche dos o tres veces para poner en marcha el «servicio de recogida». Normalmente, salía en chándal y deportivas, pero una de esas noches me dio tanta pereza que no me cambié y me puse al volante en pijama y con una chaqueta por encima. Pensé que, como iba bastante cerca, nadie vería las pintas que llevaba. Cuando me dirigía hacia el punto de encuentro, vi en medio de la carretera un motorista recién accidentado. Sin pensarlo, me bajé del coche mientras llamaba a la Guardia Civil para que viniera en su auxilio. Igual que yo, otros coches fueron parando detrás de mí. De repente, cuando vi cómo me miraban, reparé en que estaba allí en medio, en pijama, ¡allí hablando como si nada! Salí corriendo y me metí en el coche espantada. Cuando recogí a los niños y se lo conté no podían parar de reír. Esta anécdota corrió de boca en boca entre todos los amigos y amigas de mis hijos; hay veces que todavía se acuerdan.

La vida es una constante transmisión de saberes de madres a hijos, pero no todo lo que yo he vivido he querido trasmitirlo o comunicárselo a ellos. Como madre, me gusta estar ahí cuando mis hijos me necesitan, lo mismo les doy una receta de cocina que un consejo doméstico, les comento cómo deben enfocar la economía, ahora que son independientes, les hago una recomendación personal o les ayudo en la solución de algún problema; les sugiero que vayan a ver una obra de teatro, una película de cine o que lean un libro que a mí me ha gustado.

Con ellos puedo hablar de todo, he tratado de educarlos en la libertad y la confianza, son abiertos y comunicativos; tanto que, cuando por motivos laborales han estado fuera de España, hemos pasado largos ratos al teléfono para ponernos al día de cada pequeño detalle y para regocijo de las compañías telefónicas. A los hijos nunca hay que cortarles cuando tienen necesidad de comunicarse, especialmente cuando van haciéndose mayores y ya lo hacen solo cuando ellos quieren.

Pero existe un tema en el que yo nunca cruzaré una línea roja: jamás les contaré los detalles y las causas profundas de mi desilusión y mi fracaso matrimonial. Ellos han sido testigos de excepción de nuestra vida en común, tanto de los tiempos en los que hubo alegrías y esperanzas como de cuando empezó el desgaste y solo había desaciertos y desamor. Eso, ellos lo saben, y yo nunca he esquivado ninguna pregunta sobre el asunto. Pero hay que saber que, para tratar este tema, tiene que existir una gran dosis de respeto, porque afecta a una persona a la que ellos quieren, que es su padre. De igual forma, creo que él tampoco habrá entrado en los detalles de su versión de la ruptura y, si lo ha hecho, allá cada cual: cada uno tiene que vivir y cargar con sus actos.

Conocer las causas de los fracasos no solo no evita caer en ellos, sino que puede crear un precedente que no sería beneficioso en las vidas futuras de nuestros hijos, independientemente de que opten por vivir solos o en pareja. Prefiero transmitirles una idea de alegría y esperanza, de que todo tiene una solución, aunque a veces parezca que delante solo tenemos el abismo. Esta postura es más beneficiosa para su crecimiento emocional que dar detalles sobre *quién la fastidió más.*

Yo soy una mujer muy independiente por las circunstancias de mi propia experiencia vital —creo que más autónoma que mis hijos—, pero he sabido amoldarme a todas las etapas que la vida me ha ido planteando. Os contaré algo para que os sea más fácil entender algunos temas: mis hijos han tenido que vivir una situación personal muy particular que ellos no habían buscado, y que unas veces tenía cosas positivas, pero que, en la mayoría de los casos, venía acompañada de otras muy negativas. Aunque los cuatro han sido muy celosos de su intimidad, constantemente han tenido sobre ellos una lupa de vigilancia, debido a que su padre era un político de peso.

No han tenido una vida sencilla, siempre han estado sometidos a miradas ajenas que, con frecuencia, solo querían detectar en qué se equivocaban. Otras veces, simplemente se trataba de ver qué hacían y así poder atacar a su padre. Si os contara algunos ejemplos os escandalizaríais. Luego estaban los temas de seguridad… Este país ha pasado por complicadas épocas políticas, y José Bono nunca se ha caracterizado por mantener la boca cerrada ante los problemas, por lo que algunas veces se han creado situaciones de riesgo.

Cuando mis hijos estaban en edad escolar, vivir en el Palacio de Fuensalida, sede del Gobierno de Castilla-La Mancha, no era una tarea sencilla. La vivienda era muy incómoda, llena de escaleras, porque lo importante, claro está, eran las dependencias institucionales. Pero los críos actúan como tales, sean hijos de quien sean. Mi hija Amelia invitaba a jugar a sus amigas y ocupaban con sus cosas la entrada y las escaleras del palacio: en el fondo aquello no dejaba de ser el portal de su casa. Allí desplegaban todo un catálogo de muñecas, ropitas, maquillajes, etc. A veces llegaban importantes personalidades para ver al Presidente, y allí se encontraban con la escena infantil. Resultaba bastante chocante y divertido, y las explicaciones dejaban al visitante sin palabras. Los niños también tenían derecho a contar con su espacio, eso lo entendía cualquiera.

Amelia es la mayor de mis cuatro hijos, es una mujer profundamente familiar y de valores. Desde pequeña ha tenido las ideas muy claras respecto a su amor por los niños, por eso sus estudios se enfocaron hacia ese aspecto. Fue una estudiante regular, costaba que se volcara en los libros, sencillamente porque no le gustaba. Precisamente por esta razón resultó más gratificante cuando consiguió sacar su titulación de Magisterio. Es muy extrovertida, cariñosa, divertida y amiga de sus amigos. Tiene las cosas muy claras y un pronto fuerte. Tiene tres hijos —está encantada con ellos—, es una buena madre. Amelia solo tiene una obsesión en la vida: tener una niña, así que, mientras lo consigue, puede acabar creando en casa un equipo de fútbol. Es la más mediática de mis hijos, tanto por ella como por su marido, Manuel. Aunque llevan una tranquila vida familiar, despiertan interés por donde van. Amelia y yo vivimos muy cerca, nos vemos casi todos los días, es con la que más tiempo paso.

Mis hijos, que han vivido cada uno en sitios diferentes, ahora están todos ubicados en Madrid, pero se desplazan constantemente, ya sea por trabajo o por placer. Están muy unidos y se preocupan mucho los unos de los otros. Aprovechando los beneficios de las nuevas tecnologías, nos enteramos de lo que nos va pasando a todos porque estamos conectados a través de un chat familiar: «Los Rodríguez». Aunque se encuentren a cientos de kilómetros, todos están ahí para cuando se les necesita. En especial, se preocupan de Sofía y la protegen por ser la más pequeña y por estar en la adolescencia, que es una edad complicada.

Ana, la segunda en edad, es abogada y tal vez la menos mediática de los cuatro. Es discreta y reservada, siempre ha sido consciente del papel de su padre y ha estado a la altura cuando se le ha solicitado. Tiene un fuerte carácter —es la que tiene más genio— y una fuerza de voluntad de acero. Ha sido una estudiante brillante a la que nadie le ha regalado nada. Ha trabajado en importantes compañías de España y Reino Unido. Actualmente vive en Madrid, donde acaba de crear un bufete junto a otros abogados. Es profundamente independiente, pero de vez en cuando siente cierta *morriña;* entonces, viene de visita y organizamos reuniones familiares. Es muy cercana a Sofía. No podría decirse que el resto de mis hijos no la tengan, pero lo cierto es que, desde muy pequeña, Ana mantiene una relación muy estrecha con su padre. Será porque ambos son abogados y desde siempre les ha gustado mantener largas charlas. Ella, y no yo, es la auténtica Ana Bono, a pesar de que a mí me lo dicen a diario.

Durante la infancia y la adolescencia de mis hijos he sido una madre estricta con el estudio, con los cuidados y con que no fueran caprichosos ni malcriados. Durante una época, mi familia siempre ha estado rodeada de gente: unas veces porque el trabajo nos acompañaba allá donde fuéramos, incluso en las fiestas familiares; otras, porque siempre nos ha gustado estar con amigos. Me he encontrado con personas que han tratado con mucho cariño a mis hijos, incluso se han ido de vacaciones con amigos que los querían tanto que se los llevaban en viajes particulares. Pero también rondaron aquellos que trataban de hacerles llegar caprichos con la insana intención de acercarse a su padre. A esos había que identificarlos y alejarlos pronto.

Mi único objetivo con respecto a ellos ha sido educarlos en valores, que fuesen gente sana y se convirtieran en buenas personas. Lo que viniera después era secundario, que hicieran aquello que les trajera felicidad en sus vidas, pero algo con lo que fueran económicamente independientes. He aprendido que debemos valorar a nuestros hijos por lo que son y no por lo que nosotros desearíamos que fueran.

José es el único chico. Mis hijas dicen que por eso es mi favorito, pero no es así; es solo que tiene un carácter muy especial, es muy afectuoso, todo el mundo lo quiere. Desde muy pequeño ha estado dedicado a la tarea de «buscar, salvar, curar y adoptar todo tipo de bichos». Daba lo mismo que fueran perritos, tortugas, erizos, culebras, ranas o cucarachas..., José siempre encontraba una razón para cuidarlos y conseguir que nuestra casa pareciera un pequeño zoológico. Cuando estábamos en Salobre (Albacete), el pueblo de su padre, se iba con sus amigos, todos cargados con cubos, y sacaban del río cualquier especie que pretendía conservar en su habitación de la casa. Nunca he visto un niño al que la ropa le durase limpia menos tiempo; siempre andaba lleno de barro, de hierbas y de todo tipo de variedades de manchas. Desde pequeño ha sido muy inquieto y nervioso, así que, buscando actividades que le ayudaran a mantenerse activo pero tranquilo —que, desde luego, tenían que estar relacionadas con los animales—, llegamos al mundo de la equitación, a los caballos. Aquí encontró su gran pasión y su actual medio de vida. Corre y salta a nivel profesional, pero también da clases y ayuda a muchos niños y mayores a vencer sus miedos y discapacidades a través de la equitación. José es el más cariñoso de mis cuatro hijos. Siempre me dice que estoy estupenda, tiene una palabra amable y saca tiempo para pasar un rato conmigo, para acompañarme en una comida o una cena.

Mis hijas, sin embargo, se muestran más críticas: «vas muy corta..., muy ajustada..., no sé si ese acto es oportuno para ti..., no es adecuado para tu edad..., deberías haber dicho esto y no aquello...». ¡Uf..., como si ellas hubieran nacido sabiéndolo todo! Primero me critican, pero luego me piden que les preste ropa, zapatos o complementos, ¡y no siempre los devuelven!

La más crítica conmigo es mi hija Sofía, de catorce años. Creo que, al vivir juntas y vernos a diario, tenemos más confianza para decirnos las cosas. Sofía es mi cable de conexión al mundo, porque a ella todavía la estoy educando. Es una niña reservada, perseverante, muy constante y que se esfuerza en todo lo que hace. Tiene mucho carácter y momentos de rebeldía típicamente adolescente. Gracias a Sofía tengo a punto siempre el teléfono móvil, sé quiénes son One Direction o Auryn, entiendo de marcas para jóvenes, veo cine y teatro que descartaría por edad o recorro con avidez todos los centros comerciales de Madrid y Toledo.

Todos son muy protectores con Sofía, unos por la cercanía, otros porque están en constante conexión gracias a las aficiones comunes; ejercen de hermanos mayores con su hermana pequeña, la adoran pero también la educan.

Sé que en este recorrido de presentación de mis hijos que os he hecho no he sido nada objetiva, ninguna madre lo es. Pero quería contaros cómo todos ellos se han convertido en mi motor y, cómo, ahora que la familia ha cambiado, también las relaciones con ellos son diferentes. A pesar de ello, a mí me siguen gustando las mismas cosas: hablar con ellos al final del día, que me suene el teléfono a una hora rara y me den una buena noticia, celebrar las ocasiones especiales, montar reuniones familiares a las que cada vez se van uniendo más miembros. Me gusta tener con mis hijos relaciones de complicidad, porque ellos también se han convertido en mi apoyo en los momentos difíciles.

Se dice que tener hijos no te convierte en madre, igual que tener un piano no te convierte en pianista; a ser madre se está aprendiendo cada día. Yo solo quiero que mis hijos sean felices y consigan hacer realidad los sueños que persigan. No hay que olvidar esto en ningún momento, sobre todo cuando las turbulencias arrecian por culpa de una separación matrimonial.

5
CÓMO ORGANIZARSE LA VIDA DESPUÉS DEL DIVORCIO

UNA VIDA COMIENZA TRAS EL DIVORCIO

«Yo tengo ira, miedo, piedad, alegría, tristeza, codicia, largueza, furia, mansedumbre y todos los buenos y malos afectos y loables y reprehensibles ejercicios que se puedan encontrar en todos los hombres juntos o separados. Yo he probado todos los vicios y todas las virtudes, y en un mismo día me siento con inclinación a llorar y a reír, a dar y a retener, a holgar y a padecer, y siempre ignoro la causa y el impulso de estas contrariedades. A esta alternativa de movimientos contrarios he oído llamar locura; y si lo es, todos somos locos, grado más o menos, porque en todos he advertido esta impensada y repetida alteración».

La nadería de la personalidad. Jorge Luis Borges, 1922.

Decía la gran cantante Rocío Jurado: «Se nos rompió el amor de tanto usarlo». Lamento discrepar de ella; a veces se rompe precisamente por no usarlo. Recuperarse y superar un divorcio no es fácil, aunque sea algo que nosotras hayamos elegido. Ya lo dice el proverbio: «los ríos están llenos de las lágrimas derramadas por los deseos conseguidos». Una mujer divorciada tiene que poner la atención en muchos frentes para no caer en el intento y se requiere tiempo, valentía, fortaleza y grandes dosis de confianza y paciencia, algo de lo que no vamos sobradas en esos momentos, para salir a flote.

Todos los divorcios son difíciles, en cualquiera de sus etapas, quien te diga que no lo pasó mal o te está mintiendo o es una persona insensible o frívola. Aunque, por fin, llega el momento en el que se supera la fase traumática y comienza a contemplarse como una segunda oportunidad para hacer cosas nuevas, para empezar relaciones desde cero, para mejorar como persona, como amante y como madre. Si lo miras bien, el divorcio es una experiencia liberadora, no un fracaso personal.

Hay situaciones que nos vamos encontrando en la vida y que nadie nos enseña cómo debemos superar. Lo digo con humor, pero ¡mejor nos iría si recibiésemos este tipo de enseñanzas en los colegios, en lugar de algunas materias que estudiamos y que nunca más en nuestra vida volvemos a saber dónde usar!

Yo, desde luego, demandaría una serie de asignaturas: la primera, cómo disfrutar de una relación para que funcione y sea feliz y duradera; la segunda, cómo convertirnos en buenos padres, y, por último, cómo llegar a tener buenas parejas y exparejas. Serían como nuevas asignaturas de Educación para la Ciudadanía, pero centradas en los afectos. Creo que a nadie nos sobra aprender sobre el amor.

Por el contrario, a las mujeres de mi generación nos enseñaron que las relaciones serían eternas, que nos mantendríamos con nuestra pareja «en la salud y en la enfermedad, en la riqueza y en la pobreza» y hasta que la muerte nos separara. Recibimos mensajes hasta en los cuentos infantiles: «contigo, pan y cebolla»; «... fueron felices y comieron perdices». Pero ya averiguamos que, mucho antes de la muerte, se cruza algo o alguien en nuestra pareja y esta se rompe. Con el tiempo descubrimos que comer pan, cebollas y muchas perdices resulta bastante indigesto. Sin tanta literatura, de forma mucho más prosaica, nos damos cuenta de que todo tiene un principio y un fin, que nada es para siempre.

Tras el fin del matrimonio comienza una nueva vida que, según mi experiencia, tendría tres fases muy distintas que ahora detallo.

Curarse las heridas

Primero hay que superar el dolor que provoca la ruptura. Para ello resulta fundamental perdonarte a ti misma y olvidar a tu ex. Llora, grita, desahógate en soledad o con personas de confianza —nunca ante tus hijos—, saca todo el dolor y la rabia...

Todos los divorciados comparten una obsesión: hablan constantemente del tema, sea cual sea el interlocutor, ya se trate del taxista o del fontanero. Os recomiendo que no seáis demasiado autobiográficas: no a todo tu entorno le interesa el tema, hay gente que lo soporta con paciencia, pero hay otros que, ante la pesadez y la machaconería de los ataques contra el ex, se aburren y no te vuelven a llamar. Por tu bien, y el de tu entorno, cierra cuanto antes el apartado «relatos del divorcio».

Me han contado el caso de un grupo de cinco amigos divorciados, tres hombres y dos mujeres, que hicieron un viaje juntos a un país europeo. Como se vio ya el primer día, resultaba inevitable que cualquier conversación derivara siempre en hablar mal de los ex respectivos, así que idearon como estrategia que, cada vez que uno de ellos nombrara a su antigua pareja, pagaría cinco euros a un fondo común. El último día creo que había tal cantidad de dinero que pudieron cenar en un sitio fantástico con buen vino y marisco.

Llegó el armisticio

En esta fase hay que romper definitivamente con las situaciones de tensión o de violencia, ya se sabe que, si uno no quiere, dos no riñen. No seas generador ni receptor de violencia, porque con cualquiera de las dos formas sufrirás y causarás daño. Cuando llegues a esta etapa ya habrá pasado el tiempo suficiente, y lo normal será que hayas encauzado de nuevo tu vida. Si esto no es así, puede que tengas un problema y tal vez necesites apoyo psicológico para resolverlo.

Las mujeres tienen dificultad para asumir las nuevas situaciones —en especial la soledad— y mucha facilidad para estancarse en el odio y el resentimiento. Conozco casos de divorciadas hace más de veinte años que mantienen intacto su dolor y su rencor como el primer día, como en el minuto después de salir del juzgado. Hablan de los defectos de sus ex en presente, como si hiciera apenas un rato de su última jugarreta. Incluso se siguen denominando «señora de» y utilizan el apellido de casadas. Esta sensación de desubicación y de posesión respecto del otro es ilógica y solo causa mofa. Tengo una conocida que hace que le envíen las notificaciones del centro educativo de sus hijos a nombre de «señora de» y, a continuación, el apellido del que fue su marido. Como suelen ser escritos referidos a temas económicos de los que se hace cargo el padre, se los reenvía a través de los hijos. El hombre convive con otra mujer, que, pese a los trece años que llevan juntos, nunca se autodenomina «señora de», y a la que esta situación solo le produce lástima y diversión. Amigas, esta actitud solo impide crecer personalmente y emprender una nueva andadura. Además, en la mayoría de los casos, transmite odio a los que te rodean.

Cordialidad…, pero con moderación

Hay que evitar el «y tú más»; este momento ya pasó. Tampoco es recomendable propiciar una relación de excesiva confianza que solo servirá para que se entrometan en tu vida y quieran saber detalles que al otro ya no le incumben.

Me contaban la historia de una pareja divorciada desde hace tiempo, que ya estaba en esa fase de comunicación sin ira. Un día, ella citó a su exmarido en su nueva vivienda para hablar sobre los problemas escolares del hijo en común. La conversación iba bien, pero él, en un momento dado, empezó a hacerle preguntas incómodas sobre si ella tenía una relación sentimental. Cuando el asunto ya era un poco desagradable, la mujer cortó la conversación. En ese momento salió del salón porque sonó el teléfono. Al regresar, se encontró al ex escudriñando con alevosía los papeles bancarios que ella tenía guardados en un cajón. Yo os recomiendo diálogo, corrección en las relaciones, pero ni un ápice más de confianza de la que es necesaria; el ex puede no entender lo que implica y pasarse de la raya.

Una buena amiga dice que el divorcio se supera cuando envías al ex al cementerio; no quiero que se entienda mal, no admito juegos en estos temas. Ella lo razona diciendo que, dado que hay que pasar un tiempo de duelo por la pérdida de la pareja, tras el duelo, hay que enviarlo —tal como ella ha hecho— *mentalmente* al cementerio. Supone, simplemente, que él ya no existe para ella. Es una forma de verlo, un mecanismo de defensa tan válido como cualquier otro para salir airosas. Preguntando por ahí he visto que cada una tenemos nuestra propia receta para conseguir superar el trance con los mínimos daños.

Tener una actitud abierta y positiva es fundamental: si dejaste atrás a alguien que no resultó ser lo que esperabas, llegó el momento de alegrarte.

CÓMO HACER UNA VIDA DE *SINGLE*

> «Ya no hablo de venganzas ni de perdones; el olvido es
> la única venganza y el único perdón».
>
> Jorge Luis Borges (1899-1986), escritor argentino.

Hacer una vida de *single* es aprovechar y disfrutar de la soltería, sentirse cómodo y no pensar en tener relaciones serias ni en formar una familia. Los *singles* son los nuevos solterones o solteronas, pero con la diferencia de que el término no tiene connotaciones negativas, no se dice como algo peyorativo; designa una condición que generalmente se ha elegido y, en todo caso, de la que se está orgulloso. Cuando se habla de este grupo, no se incluye solo a las solteras, sino también a las separadas, las divorciadas y las viudas.

Ser *single* es un estado civil, pero, sobre todo, un nuevo estilo de vida. Ser *single* después del divorcio es tener ganas de empezar otra vez, de volver a la vida, pero sin las ventajas y los inconvenientes de tener una nueva pareja. Abundan las distracciones y actividades especialmente pensadas para este grupo de población. Existen bares, restaurantes, discotecas, viajes, cruceros, fiestas, cursos, gimnasios, etc. Pretenden compensar las numerosas estructuras sociales y la amplia oferta de ocio pensadas específicamente para actividades en pareja.

Hay que saber valorar las ventajas que tiene la recuperada soltería.

La dueña del mando de la televisión

Puede considerarse que las *singles* llevan una vida más divertida y más libre, sin ataduras. Tengo una amiga argentina, con hijos ya mayores, que dice que «es *single* porque no está dispuesta a ceder el mando de la televisión nuevamente». Ya sabe lo que es convivir y no repite por nada del mundo.

Además, pueden dedicar más tiempo al trabajo, a veces sin medida, y convertirse en auténticas *workaholics*. Muchas conocidas con responsabilidades familiares, pero que carecen de pareja como elección personal, se convierten en verdaderos *chollos* para las empresas en las que trabajan, al realizar jornadas laborales maratonianas que les dejan el tiempo justo para atender a sus hijos y cuidar de ellas mismas lo mínimo y necesario. Eso sí, cuando tienen días de vacaciones, se permiten hacer solas estupendos viajes que les sirven de recarga.

Paul Newman decía: «Estudia tus fuerzas y conoce quién eres y qué tienes de especial. Asegúrate de vivir la vida, lo que no significa hacer cosas para conseguir la celebridad, y devuelve algo positivo a la sociedad». Es una preciosa frase reivindicativa de las fortalezas propias. Descúbrelas cuanto antes y sal al mundo. Las mujeres perdemos durante algún tiempo la ubicación, nos cuesta superar que ya no tenemos el rol de esposa. A veces solo es la sensación, la rutina, la comodidad o la costumbre de ir emparejada (que no siempre significa ir acompañada). Te recomiendo que empieces rápidamente a llevar una vida lo más abierta posible, con relaciones de amistad y actividades fuera del hogar. Aprende también a estar sola, que no quiere decir que te comportes como una ermitaña. Todas hemos pasado épocas de angustia, pero hay que sacar fuerzas de donde no se tienen para tocar fondo y coger impulso.

NUESTROS CONSEJOS VALEN MUCHO, PORQUE TODAVÍA NOS EQUIVOCAMOS

> «Llega un momento en que es necesario abandonar las ropas usadas que ya tienen la forma de nuestro cuerpo y olvidar los caminos que nos llevan siempre a los mismos lugares. Es el momento de la travesía. Y, si no osamos emprenderla, nos habremos quedado para siempre al margen de nosotros mismos».
>
> Fernando Pessoa (1888-1935), escritor portugués.

Dice una buena amiga que «una cosa es tropezar y otra es cogerle cariño a la piedra», y que «hay tantos errores nuevos y que nos sorprendan, que repetir algunos es una tontería». He hecho muchas cosas en mi vida que —tratándome con condescendencia— podrían ser mejoradas, por no decir que he cometido errores tremendos. Pero para eso están las segundas oportunidades, para esquivar las malas decisiones y marcarse grandes retos, pero diferentes.

Con otra edad, tal vez planteaba las cosas de otra forma, sin embargo, entrada en la cincuentena, he aprendido a conocer los problemas, a enfrentarme a ellos y a ver qué puedo hacer para mejorar y generar energía positiva.

PRIMER GRAN RETO: QUÉ HACER CON MI TIEMPO

> «Comienza haciendo lo que es necesario, después lo
> que es posible y de repente estarás haciendo
> lo imposible».
>
> San Francisco de Asís (1181-1226).

Empezaré por el primer gran reto que me marqué tras el reconocimiento de un error. Durante una larga etapa de mi vida hice un mal uso del tiempo y esto tuvo pésimas consecuencias para mí. Conforme fui cumpliendo años, se fue apagando la prisa y, consciente de mi equivocación, puse en marcha la maquinaria de los remedios para arreglarlo.

Ya os he dicho que, si hay algo que nos diferencia del género masculino, es el concepto que las mujeres tenemos del tiempo. Será por nuestra necesidad de conciliar vida familiar, vida laboral y ocio, o por la pretensión de mantener nuestra salud mental, lo cierto es que nosotras intentamos ganarle tiempo al tiempo, adaptándolo con eficacia a nuestras tareas personales y cotidianas, de manera que los esquemas establecidos llegan a importarnos muy poco.

Cuando era más joven, tenía la sensación de que el tiempo pasaba muy rápido, de que no sería capaz de leer todos los libros interesantes ni de escuchar toda la buena música que estaba a mi disposición; no podría recorrer todos los museos o los lugares especiales que había repartidos por el mundo. Con los treinta y los cuarenta me fui serenando y empecé a aprender a seleccionar. Hasta que, cumplidos los cincuenta, uno de los retos más importantes de mi vida actual es disponer, saber aprovechar, gestionar y disfrutar del tiempo, especialmente del tiempo libre. Ya lo dijo Aristóteles: «El ocio es el camino hacia la felicidad».

Aunque, como imaginaréis, dispongo de poquísimo tiempo libre. Entre trabajo y familia me queda el justo para cuidarme, leer, mantenerme al día y escuchar música, ver cine y teatro para no quedarme trasnochada. Si alguien tuviera una panorámica general de mi vida en una jornada cualquiera, comprobaría que estoy siempre corriendo, viajando de un lugar a otro, sin parar hasta bien entrada la noche, y hay días que los zapatos llevan alas, pero otros parece que los llevo llenos de piedras. En el pasado, este problema todavía era peor, porque a trabajo y familia se sumaba la labor pública, que se comía una parte muy importante de mis horas. Tras mi divorcio, abandoné algunas de esas tareas, pero perseveré en el error de tratar de estirar el tiempo, y entré en una época de febril actividad.

Sea cual sea nuestro proceso personal en las rupturas, nuestra vida necesita un nuevo enfoque y una nueva ubicación. Durante una etapa tuve la necesidad de demostrarle al mundo que, aunque mi matrimonio se había terminado, yo era una *supermujer* que destacaba en todo lo que hacía: buena madre, buena abuela, buena empresaria, buena amiga, hasta buena exesposa. Me sentía en la obligación de demostrar algo que realmente nadie me pedía, me lo exigía yo misma. Quise abarcar tanto que casi estuve al borde del abismo. Intentaba duplicar las horas del día, llegar a todos sitios y estirar los minutos con la creencia de que, si hacía todo muy deprisa, todavía podría trabajar e implicarme algo más durante el tiempo libre. Grave error.

Visto ahora, desde la frialdad que dan los años cumplidos, me doy cuenta de que, tras la separación, las cosas tampoco habían variado tanto: nuestra pareja llevaba caminos paralelos desde hacía mucho tiempo y tanto mi exmarido como yo misma habíamos dejado de buscar lugares comunes. Al final, había muy pocas cosas que todavía hiciéramos juntos.

Durante el tiempo que duró mi matrimonio, pasé muchos ratos de soledad. No soy una persona quejica, no cuento con facilidad las cosas que me pasan, pero muchos lo percibían, especialmente mi padre. Para él yo era transparente, notaba lo tremendamente sola que estaba y, sin pedir explicaciones, se venía desde Galicia a pasar largas temporadas conmigo a Toledo. Murió en 2007, le echo muchísimo de menos, sabía acompañar sin palabras y apoyar sin estridencias; pienso frecuentemente en él, y ese simple pensamiento me sirve de ayuda. Le gustaría saber que ahora soy feliz.

Cuando fui consciente de que mi situación personal y familiar había cambiado, supe que ya era dueña del total de mi tiempo, y no quise dar paso a la tristeza y que su inercia me arrastrara, por lo que me decidí a emprender actividades profesionales y personales. Mi esfuerzo tuvo éxito.

Con treinta o con cuarenta tal vez no lo hubiera logrado, pero hace aproximadamente un año hice una parada técnica y recompuse mi esquema de una forma muy sencilla: nunca me comprometo ni intento hacer más cosas de las que soy capaz de realizar con eficacia, sea cual sea su resultado final. Es importante no abarcar más de lo que se puede.

Explicaré mi método teórico: siempre empiezo el día haciendo una lista mental de las cosas que tengo que hacer y de las personas a las que tengo que ver. Para ello me ayudo de mi sempiterna Moleskine roja, que carga con el peso de mi mundo —mi memoria también tiene mis años y cualquier colaboración es bienvenida—. El tiempo del trabajo ocupa un gran porcentaje de sus páginas, pero siempre trato de dejar ratos para hacer algo que realmente me guste, actividades que me hagan verdaderamente feliz. Y siempre reservo momentos para estar con alguien con quien de verdad desee estar.

SEGUNDO GRAN RETO: ILUSIONARME

> «La tristeza, aunque esté siempre justificada, muchas veces solo es pereza. Nada necesita menos esfuerzo que estar triste».
>
> Lucio Anneo Seneca (4 a. C-65 d. C), filósofo.

Mi segundo gran reto fue recuperar la ilusión y la salud emocional; esta tampoco fue una meta fácil, pero cada uno de nuestros logros alguna vez fue considerado imposible.

Tuve que realizar un largo proceso, casi como en la adolescencia, y volver a encontrarme a mí misma para convertirme en la protagonista de mi propia historia y salir adelante con ella. No me fallaban las fuerzas en esos momentos, se trataba más bien de un cierto descoloque por tener que volver a empezar desde cero. Seguro que ahora sería capaz de construir otro esquema existencial que me hiciera feliz, si antes había sido capaz de vivir de una forma que no me ilusionaba. Y descubrí que la felicidad y la ilusión no están al lado de alguien, están dentro de cada uno; a ratos es difícil encontrarlas, pero hay que saber buscarlas y mantener el control.

De repente un día lo vi claro, el éxito consiste en saber levantarse después de un fracaso o de una caída. Tengo la virtud, o el defecto —mi madre lo llama «la cabezonería»—, de que cuando me propongo algo intento hacerlo realidad, y ahora era el momento de situarme «cabezonamente» en el bando de las soluciones, no en el de los problemas. Nada ni nadie pudo entonces, ni me podrá quitar ahora, las ganas de afrontar desafíos; soy positiva, lo negativo me impide crecer. Aquello a lo que le dedicas atención puede hacerte feliz o infeliz, siempre he pensado que hay que trabajar para conseguir tener fortuna, pero debemos agradecer nuestra suerte por seguir teniendo posibilidades en nuestra vida...

TERCER GRAN RETO: RECUPERAR LA AUTOESTIMA

> «Hay dolencias peores que las dolencias, hay dolores que no duelen, ni en el alma, pero que son dolorosos más que otros».
>
> Fernando Pessoa (1888-1935), escritor portugués.

El tercer gran reto que me marqué fue la recuperación de la autoestima. Tras el divorcio se quedó algo tocada y tuve que poner los medios suficientes para no tambalearme ante las adversidades.

Amigas y amigos separados y divorciados, con experiencia en este tipo de situaciones, me decían que, sea cual sea el tipo de personas, su estatus social, su lugar de procedencia, su nivel económico, su cultura, su religión, etc., todo lo que pasa después de una separación responde a unas conductas y lleva unas pautas muy concretas, siempre las mismas, repetidas en todos los casos como si de un manual no escrito se tratara. Todo lo que unas y otros me fueron anticipando se cumplió con precisión de reloj suizo. Por eso me he atrevido yo a escribir estas líneas, porque las pautas se repiten. Espero que os ayude este manual para reconocer, evitar y superar los daños causados por una ruptura.

Un divorcio siempre conlleva la superación de un duelo, por la pérdida, por la desconfianza con la que empiezas a mirar el mundo. Las mujeres queremos hacerlo todo perfecto, cualquier fallo en nuestro camino nos crea problemas de autoestima. Pero ser perfecto no es posible, ni bueno. Al cumplir los cincuenta descubrí que marcarme objetivos de perfección solo me traería insatisfacción e infelicidad. ¡Que otros se creyeran invencibles! Conmigo, en esta guerra, que no contase nadie.

A los cincuenta fui consciente de que muchas de las cosas que yo sentía no se ajustaban a la realidad. Cada día me autoconvencía de que en mi vida se habían producido fallos y yo era culpable de al menos un cincuenta por ciento de ellos. El punto de inflexión para el cambio empezó en el momento en el que tuve la certeza de que nunca sería tan buena, ni tan mala, como los demás quisieran hacerme creer. Me hacía daño ver mi futuro por el ojo de una aguja, tuve que ampliar mi mente, reconocer los fallos y superarlos. Solo la fortaleza personal nos ayuda en los procesos adversos.

CUARTO GRAN RETO: CUIDAR MI IMAGEN

«Que tengas un buen día,
que la suerte te busque
en tu casa pequeña y ordenada,
que la vida te trate dignamente».

Luis García Montero (1958), poeta español.

Pelear por mi propia imagen, dentro y fuera del espejo. Os dije en el prólogo de este libro que uno de los objetivos que perseguía era conseguir ser yo misma, que nunca más se me nombrara como «exmujer de». Siempre fui Ana Rodríguez Mosquera, pero, aún hoy, después de tantos años, hay situaciones en las que la coletilla viene detrás. Mi actividad empresarial, trabajar con y para organizaciones no gubernamentales, así como mis colaboraciones con todo tipo de colectivos van ayudando a quitarme de encima el sambenito, pero a diario veo que aún queda tarea.

He hablado de lucha por la imagen dentro y fuera del espejo, porque también dentro del espejo hay que hacer recomposición llegados los cincuenta. Por todos los motivos que os he contado, a los que se sumó un alto grado de estrés, he tenido épocas de fumar mucho y comer poco. Perdí tanto peso que se me notaban las costillas y me dolían los huesos de la cadera cuando caminaba o me tumbaba. Siempre impongo en mi vida la coherencia, y eso solo se consigue cuando trabajas en paralelo con el cuerpo y con la mente.

Como los extremos son malos, y siempre me ha gustado cuidarme, establecí un plan de obligado cumplimiento a base de cremas y sérums para la cara, masajes para el cuerpo, gimnasia o yoga (según fuera necesario quemar energía o recuperarla), alimentación sana y suplementos vitamínicos naturales.

Soy ordenada y perseverante: para hacer gimnasia o caminar saco tiempo a horas muy tempranas o tardías, de modo que así no abandono el resto de mis responsabilidades. Si algún día me gana la pereza, para no faltar a mi disciplina salgo a caminar con mi hija Sofía y mi perra Chispa, como mínimo una hora.

Como teoría es bastante buena, aunque no siempre consigo desconectar del todo de los problemas. Hace unas semanas, íbamos mi hija y yo paseando a buen ritmo, cerca de nuestra casa, no vi un bordillo, tropecé y me caí aparatosamente. Intenté taparme la cara para no darme de bruces contra el suelo, pero acabé con las manos, los codos y las rodillas sangrando como si hubiera vuelto a la infancia. Al día siguiente tenía un evento de Tous, y tuve que cuidar el largo de mi falda y de las mangas de mi atuendo para evitar preguntas sobre lo sucedido. Con imaginación todo se arregla, aún me río cuando lo recuerdo.

Otro apartado vital cuando estamos reestructurando nuestra existencia es el orden en la alimentación: mucho líquido —siempre voy con mi botellita de agua en el bolso— y comer sentada las veces oportunas —yo siempre cinco—, pocas cantidades, pero variado y sano. Eso no quiere decir que un día no nos demos un capricho a base de churros con chocolate o nos pasemos de calorías en una comida divertida o de trabajo. Con la edad, una aprende que no hay que ser la señorita Rottenmeier de una misma, no hay que ser superestricta y caer luego en el arrepentimiento, sino llevar el orden y la mesura con inteligencia, disciplina y cierta condescendencia.

Y llegó la menopausia

Como las cosas nunca vienen solas, con mi vida revolucionada, a los cincuenta y tantos, no sabría especificar qué mes en concreto, llegó la temida menopausia. En realidad, para mí no fue tan mala, acostumbrada como estaba a padecer terribles episodios de pérdida de hierro a causa de mis menstruaciones juveniles. Sinceramente, lo viví como una liberación. Pero es cierto que con el climaterio llegan un montón de alteraciones físicas engorrosas que te pillan desprevenida: descalcificación ósea, mayor irritabilidad y cambios de humor, olvidos frecuentes, palpitaciones, calores y sudoraciones intempestivas, insomnio, fatiga, etc.

Contado así, parece que la marabunta ha llegado a nuestras vidas para instalarse, pero, si he de ser realista, el proceso no ha resultado tan terrible. He sufrido algunos problemas óseos, pero lo que más me ha incomodado han sido los calores y los sofocos. A cualquier hora, en cualquier lugar y sin previo aviso, mi cara y mi escote se perlaban de gotitas, notaba cómo me subía la temperatura y la única solución era empezar a darme aire con el abanico o con lo que tuviera a mano. Al ratito, igual que venía, pasaba, y hasta el próximo subidón.

QUINTO GRAN RETO: ORGANIZAR MIS PRIORIDADES

«Cada uno de los movimientos de todos los individuos
se realizan por tres únicas razones: por honor, por dinero
o por amor».

Napoleón Bonaparte (1769-18211), gobernante fráncés.

«No importa el problema, no importa la solución. Me
quedo con lo poco que queda, entero en el corazón.
Me gustan los problemas, no existe otra explicación.
Esta sí es una dulce condena, una dulce rendición».

Canción «Dulce condena», Andrés Calamaro, cantante y
compositor argentino, 1961.

Me planteé mi quinto gran reto tras descubrir que cometía
el error de dedicar demasiado tiempo a asuntos infructuosos.

Los años te enseñan a distinguir, y yo me he impuesto priorizar las tareas que he de sacar adelante, dejando a un lado
aquellas que no me producen felicidad, ni interés, ni diversión,
ni placer, ni alegría, ni gratitud, es decir, las causas inútiles, que
en la oferta siempre hay muchas; como dicen en Granada, «si
hay que ir, se va, pero ir para nada es tontería». A lo largo de
mis cincuenta y siete años de vida he hecho muchas cosas inne-
cesarias. En el otro lado de la balanza, también he tenido la
suerte de realizar montones de tareas gratificantes, de esas que
te reconcilian con el mundo. No me gusta pensar que unas equi-
libran a las otras y, aunque todavía se me colará alguna causa
inútil que tendré que hacer «porque sí», ahora estoy muy atenta
para evitar los gazapos.

La familia, un pilar fundamental

En el aspecto familiar, tengo que asignar tiempo a cada uno
de mis hijos y a mis nietos. Con estos ya no se tiene la responsa-

bilidad de educar, porque eso es tarea de sus padres. Y aquí ejerzo de *Abu*, que es como me llaman mis nietos, Jorge (cinco años), Manuel (cuatro años) y Gonzalo (un año). Con los niños solo hay que dejarse querer y mimarlos dentro de unos límites. Me encanta estar pendiente de mis nietos, sacar tiempo para recogerlos del colegio o de la guardería, ir al parque, participar en sus baños y sus cenas o llevarlos a comer fuera. A veces, las jornadas detrás de ellos en bicicleta o patines son extenuantes, pero aun así me encantan. Mis nietos llevan en la genética el arte y la palabra; estar con ellos es un anecdotario constante.

Los negocios

No hay que olvidarse nunca del plano laboral. Yo me vuelco en todos los asuntos relacionados con mis empresas, tanto en las siete joyerías Tous repartidas entre Madrid, Albacete y Toledo que regento, como en el recién inaugurado proyecto de cremas y sérums Oceanyx. Cuando empiezo cualquier proyecto, durante algún tiempo quiero hacer todas las tareas; es la mejor forma de apreciar el esfuerzo ajeno. Me gusta estar muy pendiente de las personas que trabajan conmigo; puede sonar a tópico, pero existe un ambiente muy familiar. Precisamente por el buen ambiente que hay, a veces, además de jefa, me toca desempeñar los papeles más variados: de asesora familiar, inmobiliaria, decoradora de interiores, consejera matrimonial, experta en primeros auxilios ¡y casi madre!

Divertirse es sano

Siempre hay que encontrar un rato para estar con los amigos. He tenido épocas en las que, pensando que podía deprimirme, me ofrecían planes todo el tiempo, unos apetecibles y otros no tanto, en una vorágine de actividad permanente. Agradezco los amigos y amigas que se quedaron a mi lado y sus buenos propósitos. Tras una ruptura, y más de un personaje tan influyente y complicado, hay amigos que se posicionan y toman partido, algunos que se mantienen a la espera y otros que simplemente desaparecen. A todos estos les agradezco la claridad de su decisión, eso me evitó muchas explicaciones y perder mucho de mi valioso tiempo.

Sexto gran reto: volver a amar

«El día que la mujer pueda amar con su fuerza y no con su debilidad, no para huir de sí misma, sino para encontrarse, no para renunciar, sino para afirmarse…, entonces el amor será una fuente de vida y no un mortal peligro».

Simone de Beauvoir (1908-1986), pensadora y novelista francesa.

Como último reto, pero no menos importante, llegó el momento de recuperar las ganas de amar y de ser amada, el duelo había pasado, las heridas estaban cerradas, ¡prueba superada!

El amor no puede ser ciego cuando empieza y analizado con lupa cuando termina. Con más de cincuenta años, sabes que para amar lo mejor es emplear la cabeza y el corazón, el sentido y la sensibilidad. Llegó la hora del amor tranquilo, ilusionante y mágico, ese que te inyecta vida, el que te llena de mariposas el estómago, el que te hace dar un salto cuando suena el teléfono sea la hora que sea, ese que te hace sentir con la sabiduría de los cincuenta pero con la ilusión de los dieciocho. A la recuperación del deseo acompañan el miedo a la decepción, las dudas sobre lo acertado o no de apostar por amar de nuevo, las dificultades a la hora de encajar una vida nueva en nuestra vida ya estructurada (lo que yo llamo «hacer un hueco en el armario»), la creación de una nueva intimidad o el pudor a que se conozcan los errores cometidos.

Pero llega un día en que aparece una persona que hace que olvides todo lo negativo, y ya no piensas que hubo un antes, solo que habrá un después. Ese día te sientes ligera, adolescente, valiente, taquicárdica y especial. Esa persona llegó a mi vida en el verano de 2012, y hoy pienso que la felicidad y el amor son posibles. Pero todos los detalles sobre esto serán motivo de otro capítulo.

LOS DESAFÍOS LE DAN SENTIDO A LA VIDA

> «Ya sabes que yo en ti solo tengo confianza...,
> y muy poca».
>
> Groucho Marx (1890-1977), humorista y cineasta.

Este apartado me parece vital a la hora de hablar de la recuperación tras una ruptura, por eso creo que merece ser tratado con cierto detenimiento. El sentirnos útiles profesionalmente nos inyectará una buena dosis de autoestima. En mi caso ha sucedido así, y quiero compartir con vosotras, lectoras, mi experiencia. Es normal que, mientras dura el proceso y cuando salimos de un divorcio, nos creamos incapaces de afrontar nuestra nueva vida, cuando en realidad sucede lo contrario. Superado el duelo, nos damos cuenta que tenemos una segunda oportunidad. Llegó el momento de sacar adelante nuevos proyectos o de poner toda la pasión en continuar con los que ya existían.

El maremoto económico tras la ruptura

Un divorcio lleva implícitos una serie de importantes cambios económicos y efectos negativos para los cónyuges, ya hemos tenido oportunidad de comentarlo con detenimiento. Es evidente: se pasa de una vivienda y gastos comunes a tener que asumir todo de manera individual. En definitiva, disminuyen los ingresos y aumentan los gastos. Por eso, el apartado económico genera grandes desavenencias y desequilibrios en una pareja divorciada. Los antiguos compañeros sentimentales pasan a hablar casi en exclusiva de asuntos de dinero. Además, se quiere vigilar cómo vive y se desenvuelve económicamente nuestro ex. Evita la tentación de tener siempre un ojo mirando lo que hace: si le va bien, estupendo; si le va mal, también, porque eso ya no te debe afectar. Deja de mirar al pasado y presta atención a tus propios éxitos y fracasos.

Desde luego, en los temas relacionados con el dinero, se dan situaciones paradójicas. Me han contado un caso de una mujer que, ya separada durante más de quince años, todavía vive de la pensión compensatoria que le ingresa mensualmente su exmarido. Hasta aquí todo podría ser normal, pero resulta llamativo que le pida dinero extra para operaciones de estética o cremas de última generación, con la excusa de que es el culpable de que le hayan salido arrugas prematuras, debido a los disgustos que le causó su abandono. El ex hace caso omiso de esas peticiones, pero el hecho de pedirlo ya resulta una pesadilla.

Las pensiones alimenticias y compensatorias son grandes fuentes de conflicto. Por una parte, conozco varios casos de impago de pensiones por parte del padre, que abandona las responsabilidades que tiene con sus hijos. En uno de ellos, ha dejado de pagar, o lo hace muy esporádicamente, porque ha tenido una hija en su nueva familia y eso —afirma— le impide abonar la cantidad necesaria para el mantenimiento de la anterior. La existencia de una nueva familia nunca debería utilizarse como argumento que excuse el cumplimiento de las obligaciones adquiridas con la anterior.

Por otra parte, proliferan las señoras que acaban equiparando el matrimonio que tuvieron con la garantía de un sueldo vitalicio, casi como si hubieran aprobado una oposición de funcionaria pública bien pagada. Se niegan a trabajar y se convierten en personas dependientes y sin alicientes. Siempre recomiendo que la mujer sea independiente en cuestiones de dinero, porque ello posibilita la separación entre los sentimientos y la economía.

UN SUEÑO HECHO REALIDAD: UN NEGOCIO CON ÉXITO

«Todas las personas tienen la disposición de trabajar creativamente. Lo que sucede es que la mayoría jamás lo nota».

Truman Capote (1924-1984), escritor estadounidense.

«Tu tiempo es limitado, no lo malgastes viviendo la vida de alguien distinto. No quedes atrapado en el dogma, el cual es vivir como otros piensan que deberías vivir. No dejes que los ruidos de las opiniones de los demás callen tu propia voz interior. Y, lo más importante, ten el coraje para hacer lo que te dice tu corazón, tu intuición, ellos ya saben, de algún modo, en qué quieres convertirte realmente. Todo lo demás es secundario».

Steve Jobs (1955-2011), empresario estadounidense, presidente y cofundador de Apple.

Quiero que sepáis el verdadero motivo que subyace tras mi deseo de contar mi experiencia empresarial con la marca Tous. Desde luego, si alguien cree que puede estar relacionado con alguna forma de propaganda, nada más lejos de la realidad; a esta empresa ya no le hace falta la publicidad encubierta que yo le pudiera hacer. Lo que os contaré a continuación podría servirle a otras personas que se hallan perdidas y sin alicientes para encontrar una salida a sus desvelos. Ahora que se fomenta tanto el espíritu emprendedor, aquí va mi experiencia. Creo que así puedo ayudar a otras personas que están pensando en lanzarse a montar un negocio y, en muchas ocasiones, a recuperar la ilusión y la independencia económica perdidas.

En el año 2003, yo trabajaba para el Partido Socialista Obrero Español coordinando los aspectos relacionados con el bienestar social y la cooperación internacional al desarrollo. Llevaba ya tantos años realizando el mismo cometido que, aunque los temas eran muy interesantes y enriquecedores a nivel personal, yo me sentía desmotivada, había demasiada rutina; y yo no puedo trabajar eficazmente si no tengo estímulos, sin entusiasmarme con lo que hago. Estaba infeliz en el trabajo, pero no era un tema de dominio público, solo las personas que me conocían bien sabían de mi desánimo. De forma casi secreta, fui haciendo una lista de algunos proyectos que me veía capaz de emprender, posibles actividades que me interesaban, pero ninguno acababa de llenarme del todo.

Un día fui desde Toledo a Madrid para hacer unas gestiones, me paré delante de una joyería de Tous y tuve una percepción muy positiva —ya sabéis que yo creo en la Providencia—. Tenía que buscar unos regalos y con esa excusa entré y recorrí el establecimiento. Me fijé en el producto, en el concepto tan moderno que tenía, en lo diferente que era respecto a otras tiendas del mismo ramo. Vi la organización y me resultó muy atractiva, todo parecía funcionar de forma muy sencilla pero con mucha eficacia. De pronto tuve una sensación: ¿tal vez yo podría dedicarme a aquello, aunque se tratara de algo totalmente diferente a cualquiera de las actividades que había realizado hasta ese momento?

No quería que nadie se enterase e intentara sacarme la idea de la cabeza, así que me puse a investigar cómo podía comunicarme con la central de la marca. Conseguí el teléfono del director comercial, Andrés San Gil, le llamé y quedamos para reunirnos en el hotel Miguel Ángel de Madrid. Nos vimos y le planteé mi idea de abrir una tienda Tous en el casco histórico de Toledo. Andrés había acudido a la cita pensando encontrar a la típica señora aburrida que quiere montar una tienda porque le sobra el tiempo. Más adelante me confesaría que se quedó perplejo cuando me conoció. Fue una interesante conversación, existió muy buena sintonía, y ciertas bases quedaron ya claras desde el principio. Pero yo soy de las que prefiero los mejores finales, antes que los buenos principios: lo hablado y acordado tendría que hacerse realidad.

Pronto les demostré que, de señora aburrida, nada de nada. No iba sobrada de tiempo, pero sí de energía, de ganas de triunfar y de afrontar grandes retos. En ese momento comenzaron las conversaciones con la familia Tous, con Salvador Tous y Rosa Oriol, y poco a poco fuimos cerrando los acuerdos que llevarían a la apertura de mi primera tienda en el centro monumental de Toledo, en un sitio bastante especial y representativo. Reconozco que había días en los que, cuando me metía en la cama, sentía una mezcla de alegría y tremenda preocupación. En este campo todo resultaba nuevo para mí: podía cosechar un gran éxito, pero también un fracaso. No entraré a detallar, pero la idea no solo funcionó, sino que ha sido una de las mejores decisiones de mi vida. Y en estos momentos, cuando hago balance, compruebo cómo, de tener una joyería, he pasado a tener siete, repartidas entre Albacete, Toledo, Talavera de la Reina y Madrid.

La empresa es el ejemplo de una idea sencilla sacada adelante gracias al esfuerzo, el tesón y la lucha por algo en lo que creen y por lo que demuestran pasión. En los años ochenta, los joyeros Salvador Tous y Rosa Oriol dan un giro radical y empiezan a fabricar en Manresa (Barcelona) una nueva gama de productos totalmente innovadores, con acabados artesanales. Además, cuidan la procedencia de sus materia primas, no compran ningún material de países en conflicto, que puedan utilizar los ingresos para financiar guerras, ni en los que se toleren abusos contra los derechos humanos. Tras muchos años trabajando en la empresa, creo que los secretos de su éxito son los precios accesibles, los innovadores diseños y la variedad de productos para todas las edades y bolsillos.

Hace tiempo, un amigo me comentaba que, hasta la llegada de Tous a los mercados, las joyas eran algo que la gran mayoría de la población consideraba inaccesible, incluso propio de personas mayores. La revolución real que la marca realizó la llamaba él «la democratización de las joyas». Y así es: grandes o pequeñas, hay productos que se pueden permitir un gran número de personas y que quedan bien como complemento para todas las edades.

Tous, además, es un negocio familiar al que, con los años, se incorporan las hijas del matrimonio, Rosa, Alba, Laura y Marta. Hoy, es una de las empresas españolas que ha experimentado mayor expansión mundial en los últimos años. Las joyas del osito, imagen creada en 1985, se encuentran en las cuatrocientas tiendas de la cadena y en los grandes almacenes de cuarenta y cinco países. En Tous trabajan 1.850 personas y cada año saca treinta colecciones de diferentes artículos de moda y joyería. Yo les admiro profundamente, por su sencillez y capacidad de trabajo.

Por último, es una empresa comprometida que realiza una importante obra social. En el año 2009, se crea la Fundación Rosa Oriol, con el fin de integrar a personas en riesgo de exclusión social y darles a corto y largo plazo una vida digna. La fundación se halla ubicada en Manresa y está coordinada por sor Lucía Caram. Desde sus inicios, ha dado respuesta a muchos de los problemas más acuciantes derivados de la crisis que estamos padeciendo, como la falta de alimentos y productos básicos para la subsistencia, además de trabajar contra las causas que crean estas terribles situaciones. Actualmente, novecientas cincuenta familias ubicadas en la zona de Manresa, es decir, más de 3.500 personas en situación de vulnerabilidad, reciben ayuda constante. Desde la Fundación Rosa Oriol se les ofrece alimentación adecuada a sus situaciones personales, pisos de acogida, albergues, reinserción laboral, red sanitaria. Además, hay programas de creación de empresas cooperativas, centros de aprendizaje, huertos ecológicos, talleres de costura y otras acciones similares.

Os he contado todo esto para que entendáis la ilusión que he puesto en un proyecto profesional en el que creo. A cada uno le toca encontrar ese acicate para ir al trabajo con entusiasmo. Ahora vivo permanentemente subida al coche, mis amigos dicen que más que una empresaria parezco una viajante. El coche es para mí, además de una importante herramienta de trabajo, la solución a muchos problemas. En él llevo parte de mi casa: zapatos cómodos, otros de tacón por si surge algún compromiso, bolsa supercompleta de maquillaje y aseo personal, un secador, ropa de abrigo, camisa y vaqueros limpios por si tengo algún percance en forma de mancha, ordenador, tableta, cargadores de todo tipo, agendas, mi eterna Moleskine roja, revistas y libros para entretener las esperas, un pequeño costurero y tijeras por si se salta un botón… Vamos, que más que un maletero de coche parece una autocaravana con la casa a cuestas.

ESTAR VIVA ES TENER NUEVOS PROYECTOS: OCEANYX

> «Muchos años después, frente al pelotón de fusilamiento, el coronel Aureliano Buendía habría de recordar aquella tarde remota en que su padre lo llevó a conocer el hielo».
>
> *Cien Años de Soledad.* Gabriel García Márquez, novelista colombiano, 1967.

En los últimos meses algunos amigos, gente que me quiere, me han preguntado la razón que me impulsa a meterme otra vez en nuevos proyectos, a crear nuevas empresas, si tengo una vida asegurada y cómoda. A todos les respondo lo mismo: para mí, crear, llevar a la práctica iniciativas nuevas, hace que me sienta viva, que recupere la ilusión.

El proyecto Oceanyx realmente empezó por una necesidad personal que fue ampliándose hasta llegar a lo que es actualmente. Desde pequeña he tenido una buena calidad de piel, pero muy complicada: una piel muy clara, viviendo en un país con eterno sol en verano y en invierno. Siempre he llevado altísima protección solar. A todo esto se suma que, al ser atópica, presentaba constantes descamaciones y alergias al más mínimo descuido. Esta situación fue a peor conforme iba cumpliendo años. Ninguna crema me iba bien, comenzaba a echármela y, al principio, parecía eficaz, pero enseguida mi piel empezaba a enrojecerse y a picar como si me hubiese extendido un ácido.

Un día me planteé la posibilidad de crear mis propias cremas, de hacer algo que siempre fuera bueno y apto para mí. Busqué un laboratorio en Madrid y empezamos a realizar pruebas con diferentes texturas y productos marinos; yo servía de conejillo de indias para los experimentos. En poco tiempo fuimos dando forma a una serie de sérums creados a partir de las células madre del cardo marino, que, según observamos, funcionaban perfectamente, sobre todo durante prolongados periodos de tiempo, en mi difícil y atópica piel. Con las fórmulas y las texturas ya terminadas, basadas en principios activos sin perfume, ni alcohol, ni estabilizadores, ni parabenos, pensé que, con toda seguridad, habría mucha más gente en mi situación, así que me planteé la posibilidad de comercializarlas para poder compartirlas con aquellas personas que tuvieran el mismo problema.

Todo esto que ahora os cuento en unas pocas líneas ha sido un duro proceso, largo y lleno de problemas. He contado con mucho apoyo, y ahora existe una línea llamada Oceanyx para diferentes necesidades (hidratante, vitamínico, rejuvenecedor, reparador, reafirmante y regenerador) y edades distintas. Se van fabricando según demanda de los clientes, dado que tienen una formulación muy especial basada en las algas marinas y en otras esencias del océano. Tengo una web, porque todas las ventas se hacen *online*; este es el presente y, más aún, será el futuro. Hace unos días he recibido a un grupo de personas de Irán interesadas en comercializar los sérums de Oceanyx en ese país. Desde luego, Internet no tiene fronteras.

Además, Oceanyx tiene responsabilidad social. Para mí siempre ha sido muy importante aportar, aunque sean pequeñas cuantías, a organizaciones no gubernamentales; en este caso, se destinará un porcentaje de los beneficios a instituciones que trabajen en la protección y recuperación de los océanos del mundo. Ya he teniendo contactos con algunas de estas ONG, para conocer sus programas y actividades. Por responsabilidad social y por mi implicación y cariño hacia Toledo y hacia Castilla-La Mancha, decidí que los trabajos de serigrafía de las cajas y frascos de las cremas y sérums de Oceanyx se realizarían en la sede y los talleres que la Asociación Síndrome de Down tiene en Toledo. Allí hacen diferentes tareas por las que reciben un salario. Por lo que respecta a Oceanyx, quiero resaltar la ilusión, el perfeccionismo y el afán de superación que estas personas ponen en su trabajo diario.

¿Qué he querido transmitir con mis experiencias personales? Simplemente un mensaje: el trabajo supone, para una mujer que se divorcia, uno de los mejores pilares para asentar el futuro y mirar con optimismo los años venideros.

6
CUANDO, TRAS LA RUPTURA, LLEGA EL AMOR

Tiempo de duelo

> «Comienza tu día con una sonrisa, verás lo divertido que es ir por ahí desentonando con todo el mundo»
>
> Mafalda, personaje del dibujante argentino Quino (1932).

> «Cuando te das cuenta de que quieres pasar el resto de tu vida con alguien, deseas que el resto de tu vida empiece lo antes posible».
>
> *Cuando Harry encontró a Sally.*
> Rob Reiner, 1989.

Ya he anunciado que, en un momento determinado, lo encontré a él, pero antes pasé una etapa que denominé «tiempo de duelo». Este tiempo es necesario vivirlo cuando hemos sufrido una fuerte sacudida por una pérdida, cuando se han producido cambios que han supuesto desarreglos tan profundos que nos han colocado de nuevo en la casilla de inicio de nuestra existencia.

A lo largo de mi vida, he soportado algunas pérdidas irreparables, la muerte de mi padre o de amigos y personas insustituibles, y de todas me ha costado tiempo rehacerme, pero tras estas pérdidas nunca he tenido la necesidad de pasar un largo tiempo de duelo. Sí lo tuve, y lo pasé, largo y difícil, cuando puse fin a los treinta años que duró mi matrimonio: dejar ir y empezar de nuevo no es una tarea sencilla.

El duelo es el recurso emocional con el que me protegí. Fue como una coraza interior para evitar daños innecesarios. Mientras duró, también cerré las posibles entradas en mi vida: nadie tendría un sitio en mi corazón hasta que no estuvieran curadas completamente mis heridas. Ya se sabe…, las heridas cerradas en falso acaban dando problemas. Esta no fue una buena etapa para mí, supongo que tampoco resultó sencilla para las personas a las que les importo. Tuve la sensación de no sentirme amada, de no compartir afectos, de estar metida dentro de un agujero emocional, y estos sentimientos fueron casi peores que el dolor que llevaba a mis espaldas. Sabía que no era el momento adecuado, por eso no quise que ninguna persona entrara a formar parte de mi vida a nivel sentimental.

Como habéis podido ver, porque os lo he ido contando a lo largo de estas páginas, funciono mejor mediante estímulos positivos, por eso todo lo bueno —las caricias, los besos, los paseos, las charlas, las miradas, los abrazos y la ternura— me hace crecer. Por el contrario, todo lo negativo, los reproches, los gritos, las amenazas, los insultos, los chantajes, las discusiones y el desamor, me empequeñece hasta hacerme desear la invisibilidad. Necesito el afecto, la alegría y el amor en mi vida, el vacío emocional crea importantes enfermedades en el alma, y yo no estaba dispuesta a correr ese riesgo.

Llegó el momento de pasar página, había olvidado completamente el pasado y me había reconciliado con él, le di de lado al resentimiento —si es que en algún momento lo tuve— y dejé la hoja en blanco para escribir una nueva historia. Esto hay que hacerlo así, porque de otro modo se arrastrarán los problemas pasados y la nueva relación empezará viciada, sin presente y sin futuro.

El momento es un factor muy importante, hay que estar dispuesto a enamorarse. Yo fui consciente de que había llegado porque noté que era mayor la necesidad de amar que el posible dolor que pudiera derivarse de hacerlo. Por fin, el duelo había terminado, estaba ya en el tiempo de abrir el corazón a nuevas ilusiones, era capaz de volver a enamorarme y permitir que me quisieran. Los problemas del pasado —y el miedo a lo que pudiera pasar en el futuro— no podían seguir estropeando el presente.

La vida es muy corta, pasa demasiado rápido y somos las personas las que, como las ballenas, permanecemos varadas demasiado tiempo. Recuperar la ilusión, como todo proceso positivo, resulta fácil, no cuesta nada emprenderlo, me bastó con imponérmelo.

Soy novia a los cincuenta: la ilusión renovada

«Un corazón puede estar roto, pero aún así sigue latiendo»

Tomates verdes fritos. Jon Avnet, 1991.

«Cada pareja es diferente. A nosotros nos unen ideas, una manera similar de ver el mundo, camaradería, lealtad, humor. Nos cuidamos mutuamente. Tenemos el mismo horario, a veces usamos el mismo cepillo de dientes y nos gustan las mismas películas. Willie dice que cuando estamos juntos nuestra energía se multiplica, que tenemos aquella "conexión espiritual" que él sintió al conocerme. Tal vez. A mí me da placer dormir con él».

La suma de los días. Isabel Allende, 1942.

Recuerdo vagamente una viñeta de Mafalda, el más popular de los personajes del dibujante argentino Quino, que decía que, cuando se es pequeña, una es cosas preciosas: «hija», «nieta», «hermana», «prima» o «sobrina». Conforme vas creciendo, pasas a ser «esposa», «madre»… Luego ya vas adquiriendo papeles que tienen nombres mucho menos agradables: «exesposa», «suegra», «cuñada», «nuera», etc. Llevaba razón esta niña de ideas preclaras: según cumplimos años, además de la ingenuidad vamos perdiendo las denominaciones que expresan cariño.

Tener novio a los cincuenta años antes estaba mal visto, parecía que los que formaban una pareja con esa edad tenían intereses mezquinos: si era por primera vez, la causa era tener una compañía durante la vejez; si ya se había tenido pareja con anterioridad, la decisión se relacionaba más con lo sexual que con el afecto, algo que no estaba bien.

Lo cierto es que ahora se puede formar una pareja a cualquier edad, esta imagen ya se ha normalizado. La independencia económica y el hecho de tener mayores expectativas de vida, y con mejor calidad, han facilitado la toma de decisiones que antes no hubieran sido bien entendidas. Las mujeres ya no tenemos problemas en demostrar que, al superar los cincuenta, seguimos teniendo necesidades afectivas y físicas que no hay por qué acallar. Lejos de plantearnos que estamos al final de la vida, o preparando la reserva en el asilo, podemos construir proyectos de pareja, porque la soledad ya no es nuestro último refugio.

Encontrar una nueva pareja, ¿misión imposible?

A las mujeres en la cincuentena no nos resulta fácil encontrar pareja. Yo os hablaré de mi caso en concreto, que, por determinadas causas, como la falta de anonimato, fue un poco especial por razones que ahora detallo.

En primer lugar, venía de vivir situaciones que me habían dejado bastante tocada, y tenía cierto temor a que se repitieran episodios tan lamentables. Tenía amigos que colmaban cualquier necesidad de vida social que pudiera producirse después de mi ruptura, de forma que apenas me quedaba tiempo para sentir soledad. Además, no me apetecía nada salir a *ligotear* a bares o discotecas, no me encontraba ni en la edad ni en la posición de hacerlo. Tampoco soy de este tipo de personas que busca novio en Internet; tengo amigas que lo han hecho y a las que les ha ido fenomenal, pero mi estilo no es el *romance internauta*, ni el *ciberromance*, ni las *relaciones virtuales*. Yo soy algo clásica, más de palabras y de gestos, pero en directo, no en diferido. ¡Esta frase ha perdido su significado real, por el abuso que se ha hecho de ella en los últimos tiempos!

A las dificultades de encontrar una pareja, a mí se me añadía la de ser un personaje público. Cada posible candidato, incluso un simple señor que se me acercaba en la calle aunque fuera para preguntarme la hora, aparecía fotografiado en las revistas del corazón como novio o amante, y eso, podéis imaginar, impresionaba mucho, impactaba y acobardaba a los posibles candidatos. Frente a esto, estaban los que se hacían los encontradizos para poder conseguir una foto conmigo y arañar su minuto de gloria en el papel cuché, sin ser, a veces, ni tan siquiera amigos míos.

Las madres nunca partimos de cero. Tengo cuatro hijos que podrían creerse con el derecho a opinar sobre mis relaciones, y yo, durante algún tiempo, les di la posibilidad de hacerlo, y pude dar la sensación de que me interesaban sus veredictos. El tiempo me ha demostrado que la única opinión que tiene valor en una relación es la de las dos personas que la forman, los hijos tienen que ser meros espectadores. Llegó el momento de despegarse un poco de la familia a la que tanto tiempo hemos dedicado y pensar mucho más en nosotras.

Y luego están los efectos de la menopausia y el temor a sentir que, por estar experimentando determinados cambios, igual no vas a saber cómo afrontar algunas situaciones. En este sentido, me producía cierta inseguridad volver a tener intimidad con alguien que me importara, experimentaba sensaciones contrapuestas que me causaban gran desasosiego.

Y, como colofón, estaba la sombra de mi exmarido, que parecía planear sobre mí; a algunos posibles candidatos les intimidaba bastante, y se lo pensaban dos veces antes de entablar conmigo, siquiera, una conversación.

Pues, con este desolador panorama, podéis imaginar cómo tenía la vida de revuelta. Cuando por fin creía que ya estaba preparada para buscar mi felicidad, para dar el paso de enamorarme y hacer hueco en mi corazón, no encontraba más que obstáculos, incluso para conocer a mis *opciones*.

La jungla del mercado amoroso

A lo anteriormente dicho hay que sumar que, en el paréntesis de edad que va desde los cuarenta y cinco a los sesenta, la competencia entre mujeres es tremenda.

Por una parte están las mujeres más jóvenes, empeñadas en llevar al lado una figura paterna más que una pareja afectiva; por otro lado, las de mi edad que han dejado matrimonios que no les convencían o que han sido obligadas a dejarlos. Ellas han aprendido a tomárselo con alegría y tienen ideas fijas en cuestión de hombres. En este capítulo, me duele aceptarlo, pero la solidaridad femenina es una utopía. Las mujeres han cambiado en sus comportamientos, porque copiaron los defectos y malas costumbres de los hombres y no prestaron atención a sus virtudes. Parece como si el mundo femenino de búsqueda de afectos estuviera sin control, como si no tuviera principios, excepto el del egoísmo caiga quien caiga.

Mujer divorciada busca...

Con este panorama, me sentía la protagonista de un anuncio de contactos:

Mujer divorciada de cincuenta y siete años busca hombre soltero o divorciado, atento, inteligente, romántico, con sentido del humor, buen conversador, estable emocionalmente, tierno en la cama, con buen gusto, cariñoso, aficionado a la lectura, la música, el arte y el cine, y poco seguidor del fútbol, al que le guste viajar, los perros y los caballos, y con sólidos principios.

Entraron entonces en acción los amigos, jugando a ejercer de celestinas y casamenteros: todos tenían a alguien fantástico para presentarme. Menos mal que no sucumbí a las presiones, porque aún estaría teniendo citas a ciegas con señores estupendos pero que no eran para mí: unos porque habían pasado el otoño, otros porque no habían llegado a la primavera y otros porque, simplemente, no se sabía ni dónde ubicarlos. Llegué a pensar que todos los hombres interesantes ya tenían relaciones o, simplemente, no existían, y que tendría que bajar el listón si quería encontrar una pareja. Pero no fue así. Mantenerse firme, a veces, tiene su premio.

Y llegó él

Yo salía con mi grupo de amigas y amigos de toda la vida, me habían estado ayudando a hacer la mudanza a mi nueva casa y habíamos pasado mucho tiempo juntos. Después, para desconectar, fuimos a pasar unos días al campo, allí se sumó otro gran amigo, Ernesto M., de origen mexicano, recién separado y en proceso de divorcio. En una de las tardes, se planteó la posibilidad de viajar a México acompañados de nuestros hijos, de Sofía en mi caso, donde él tenía viviendo a los suyos. Y allí, a ese maravilloso país, nos marchamos a pasar unos días de descanso, deporte y cultura.

Llevábamos algunos días allí cuando Ernesto y yo comenzamos a mirarnos de otra forma. Una noche salimos solo los mayores a cenar y bailar; y allí comenzó la bonita historia que me devolvió la alegría. Recuerdo la dulzura de los principios, la necesidad de apretar el tiempo, la sorpresa de las caricias y los mimos, que ya no recordaba ni cuándo había sentido por última vez. Mi corazón había salido de lo oscuro y volvía a latir con fuerza. Como se diría actualmente, mi vida había permanecido en *stand by* y ahora me había reiniciado.

Cuando nos enamoramos a los cincuenta también tenemos revolución hormonal como en la pubertad, por eso nos sentimos más arriesgados y jóvenes, con ganas de comernos el mundo, de hacer excentricidades. Imaginad si se hacen cosas raras que, estando en México, fuimos a visitar un paraje en el que, a través de una oquedad en una roca, se veía un agua cristalina, creo recordar que estos lugares se llaman *cenotes*. Los niños y jóvenes que venían decidieron zambullirse en el agua, y yo, animada por el *subidón* de endorfinas que produce el amor, me lancé también. Reconozco que el salto fue alucinante, pero el resultado fueron moratones gigantes en piernas y brazos durante más de un mes. ¡Cuando estamos enamoramos creemos que podemos con todo!

La telefonía móvil, Internet y las redes sociales han hecho mucho por el amor, y no creáis que solo por las parejas adolescentes. No, a nuestra edad también ayuda. El uso del móvil y la mensajería instantánea también contribuyen a que los maduros tengamos sentimientos adolescentes. Mujeres y hombres con buenas carreras profesionales y que realizan larguísimos viajes a través del mundo pueden sentirse cerca de la persona a la que quieren, la ven en la pantalla del ordenador y sienten sus gestos y sus palabras, aunque estén en la distancia... Algo teníamos que aprender nosotros, «los menos jóvenes», de los adolescentes.

No será necesario explicaros las nuevas sensaciones que volver a sentir amor me produce. El amor es placer, es recompensa, entregar y recibir. El amor se compone de una mezcla de suerte, de precisión, de aventura y rutina. Tienes la impresión de tener llena tu casa y la vida.

Ahora, con el amor tranquilo, sé que yo no soy perfecta y tampoco busco en él la perfección; pero puede que seamos ideales el uno para el otro. Cuando volvemos a enamorarnos, sentimos que estamos llenos en todos los terrenos. De amor no se vive, pero ayuda mucho.

He encontrado unas líneas para terminar este apartado con un toque de humor. Tal vez siguiendo la máxima de Mae West que dice que «las mujeres buenas van al cielo, y las malas a todas partes», reproduzco aquí el índice del capítulo «Cómo portarte mal», del libro de Bunty Cutler *Las 211 cosas que una chica lista debe saber*. En el epígrafe titulado «Todo lo que necesitas para ser una chica mala» he encontrado una guía básica para hacer todo lo que nunca se esperaría de nosotras. La sorpresa y el desconcierto en la pareja también funcionan como arma de seducción. Aquí os dejo unos ejemplos para las más atrevidas:

— Danza del vientre para novatas
— Cómo encantar una serpiente
— Cómo manejar el látigo
— Cómo estar glamurosa en un sidecar
— Cómo quitar la camisa a un hombre en un periquete
— Cómo afeitar a un hombre
— Cómo estrangular a un hombre con las piernas
— Cómo silbar con los dedos
— Cómo romper por carta
— Cómo hacer un *striptease*
— Cómo librarte de la próxima cita
— Cómo esconder una lima en un bizcocho
— Cómo seducir a un hombre
— Cómo saber si te ponen los cuernos
— Cómo rechazar una pésima propuesta de matrimonio
— Cómo utilizar un balón saltador llevando minifalda
— Cómo deslizarte por una barra de bombero
— Cómo columpiarte en un trapecio cabeza abajo

LOS EFECTOS BENEFICIOSOS DEL AMOR

Enamorarse después de un largo período de soledad produce una sensación de bienestar increíble. Este no es un libro técnico, ni yo soy una experta, pero ya he hablado de que nuestro cuerpo produce sustancias (como las endorfinas, la dopamina, la epinefrina o la adrenalina) y genera reacciones químicas que provocan una tremenda sensación de felicidad. No todas las relaciones que tenemos a lo largo de nuestra vida nos despiertan las mismas sensaciones, pero las mujeres con experiencia sabemos reconocer los síntomas y las señales: distinguimos lo que es una *ilusioncilla* de una relación de amor en toda regla.

Señales para reconocer el enamoramiento

Ahora me gustaría contaros cómo fueron mis percepciones y cuándo supe que aquello a lo que me enfrentaba era amor:

Desde luego, quería compartir cualquier momento con mi pareja, lo de menos era ser rutinarios o embarcarnos en una superaventura; para mí, lo único que contaba era el tiempo que pasaba con él. Siempre intentaba priorizar y situar por delante de cualquier otro plan que me ofrecieran los planes que hacía con él.

Además, los dos buscábamos siempre lo positivo del otro, lo que sumaba en el afecto; no queríamos saber nada de errores o reproches.

Recuerdo que, cada vez que sonaba el teléfono y veía su nombre en la pantalla, miles de mariposas se ponían en movimiento en mi estómago. Aunque ese telefonazo rompiera el silencio de la madrugada y me pillara inmersa en el sueño más profundo, le decía que su llamada no me había molestado. Más aún, aunque ya teníamos superada la edad del «cuelga tú primero», nunca era buen momento para terminar la conversación.

Al mismo tiempo, me volví más organizada, perfeccionista y eficaz, para tener todos mis asuntos en orden y conseguir, de esa manera, que no existiera nada que ocupara mi cabeza en los momentos que compartíamos.

Las personas que me conocían comenzaron a hablarme de una nueva luz en mis ojos, una ilusión que se notaba en mi piel y una sensación de felicidad que yo irradiaba y que los demás recibían.

A mí no solo me importaba el presente, sino que sentía la necesidad de pensar a largo plazo, de tener planes y objetivos comunes. Puede ser que algunos no se cumplan, puede que incluso ninguno se cumpla, pero el momento en el que construía la posibilidad de un futuro resultó mágico.

Cuando la persona que estaba a mi lado y trataba de conquistarme buscaba mi placer, mi alegría y mi felicidad, yo me daba cuenta de que mi mayor preocupación era, igualmente, conseguir su placer, su alegría y su felicidad.

Al caminar necesitaba sujetar su mano, necesitaba constantemente su contacto físico. Lo definió muy bien el cantante Carlos Goñi cuando decía: «No hay droga más dura que el roce de su piel».

No me importó perder mi independencia sentimental y pensar que a partir de entonces existíamos dos. Sentí que lo que yo estaba en disposición de ofrecer era mucho, incluso si resultaba más de lo que iba recibir.

Se nos nota en la mirada...

Las mujeres, si sentimos amor, presentamos una serie de señales y de indicios que resultan reveladores. Si, al leer estas líneas, reconoces en ti algunos de ellos, es que *el amor está en el aire...*

Estás constantemente pendiente del teléfono móvil, enviando y recibiendo *mensajitos,* como una adolescente, pero con la diferencia de que nosotras acentuamos y ponemos todas las vocales en el texto. Además, recibes varias llamadas de teléfono al día con el único objetivo de saber cómo estás o si estás teniendo un buen día.

Tienes la necesidad constante de tocarle y de que te toque, piensas constantemente en sus besos y en sus caricias.

Buscas la ropa, los accesorios, el peinado y el maquillaje que más te favorecen cada vez que hay una cita.

Has perdido el apetito y se te olvidan los asuntos más básicos, pero no se van de tu cabeza lo más mínimos detalles que afectan a la persona que mueve tu corazón.

Aunque, por la distancia que nos separa, veamos la luna y el sol a diferentes horas, notas su presencia y recuerdas cualquier pequeño detalle suyo.

Sonríes con frecuencia, te hace infinita gracia hasta la broma más tonta, quitas importancia a los fallos de los demás y tienes ganas de que todos noten lo feliz que eres.

Cambias incluso el tono de voz, los gestos y las miradas cuando te diriges a la persona que te importa.

No existe ningún tabú para expresar el amor delante de la gente. Todo lo contrario: os gusta que os vean juntos porque os sentís las personas más especiales del planeta.

Deseas demostrarle, cada día, que es tu persona favorita.

No necesitas organizar planes trepidantes porque hay una magia especial en quedarse en casa un sábado por la noche.

Soy incansable en la lucha por conseguir la felicidad, y lo que estoy viviendo actualmente podría denominarse así. Solo se vive mirando al futuro, contando con la experiencia de lo vivido, sin caer en la nostalgia de lo que se dejó atrás, sin miedo de los errores que cometimos. Vivir un nuevo amor a los cincuenta y siete años es tener en una misma persona al amante y al amigo, mirar hacia delante, tener ilusiones renovadas y recuperar los sentidos.

SI YO PUDE ENAMORARME, TÚ TAMBIÉN PUEDES

En algún momento, después del divorcio, te preguntarás si volverás a enamorarte. Dependiendo de cómo fue tu matrimonio y cómo fue el proceso por el que pasaste, tendrás más o menos facilidad para buscar el amor y para encontrarlo, que no son la misma cosa.

Es importante que, antes de dar el paso de conocer a alguien, hagas balance y aclares las características y valores que desearías para esa nueva relación. Tengo una amiga que dice que hay algunas mujeres que fracasan en sus relaciones porque siempre buscan el mismo tipo de hombre, con una personalidad y unos comportamientos similares. Desde luego, ella puede hablar con autoridad, porque va por la tercera pareja y todos se parecen: hombres guapos, inmaduros y sin ninguna inclinación al compromiso. Si haces siempre lo mismo, recogerás siempre el mismo fruto.

Para empezar, debes tener el convencimiento de que lo que te impulsa a buscar una relación no es solo necesidad de compañía, que lo que en realidad quieres es amar y ser amada, que no te mueve el *postureo* social ni dar en las narices al ex. Después, convendría hacer un listado de los fallos que crees que cometiste en tu matrimonio o en las relaciones que terminaron en ruptura. Por último, piensa en las cualidades que desearías en tu nueva pareja, no salgas a la calle pensando que todo vale, que el amor de tu vida será el primero que te haga *ojitos*: hay que situar el listón más alto.

Piensa qué cualidades valoras más: la fidelidad, la comprensión, el sentido del humor, la compañía y el apoyo, la facilidad para comunicar, las habilidades sociales, el respeto, la dignidad..., en definitiva, las que consideres imprescindibles. Y hay que reseñar los defectos que no estarías dispuesta a permitir: la agresividad, la infidelidad, los celos, la intolerancia, las malas formas, etc. Hay líneas rojas que nunca hay que saltarse, por mucha necesidad de compañía que se tenga. Me han contado el caso de un señor que le pidió un préstamo a una mujer en la segunda cita. Hay señales de alarma que te deben alertar desde el primer momento. Debemos hacer caso a la sabiduría popular para no salir de Málaga y meternos en Malagón. Ante ciertas perspectivas de compañía, sin duda es mejor la soledad.

Cómo volver a la palestra

Los amigos y la familia pueden colaborar presentándote a personas de sus entornos, aunque no debes consentir que te saquen a subasta, ni prestarte a participar en un cortejo constante. Tampoco consientas que familia y amigos opinen de más: a la persona a la que le tiene que gustar el nuevo candidato es a ti.

Una amiga divorciada desde hace años conoció a un recién separado y parecía que la relación empezaba a ir bien. Ella tenía dos buenas amigas que intentaban malmeter y ponerla sobre aviso de probables situaciones: «Te usará y te dejará»; «Este ya lleva mucha vida a sus espaldas»; «No tenéis nada en común»; «¡Pues no habrá tenido a decenas de mujeres…», y otras lindezas parecidas. Al final, la amistad con las dos amigas se quedó por el camino, y la relación de la pareja ya supera los diez años. No hay que confundir amistad con dominio.

Al principio, iniciar nuevas relaciones produce pánico y nerviosismo. «Llevo tanto tiempo fuera del mercado, sin tener a un novio cerca, que me da pavor, no sé qué hacer con él ni cómo comportarme. Si me paso, pensará que soy una lanzada, y si no llego, pensará que soy mojigata y aburrida… No sé cómo acertar». Esto me decía una conocida, le habían presentado a alguien y hablaba así la mañana anterior a su primera cita. ¡Las mujeres y nuestra eterna inseguridad…!, queremos mostrarnos tan perfectas y dejar tan buena huella que nos ahogamos en un vaso de agua. Yo le comenté a mi insegura amiga que, muy probablemente, él se sentiría igual, que también los hombres tienen dudas sobre cómo comportarse y que, si hay buena comunicación y existe la atracción, es preferible mostrarse natural que escenificar un personaje que no somos.

Manual para las primeras citas

Aleja a tus hijos en los primeros encuentros. Obviamente, tampoco hay que esperar mucho para que la nueva pareja los conozca, pero es importante observar las reacciones de los niños y del ex cuanto antes; como en todo, en el término medio se encuentra la virtud.

Al principio, aprovecha para estar con tu nueva pareja cuando no estén tus hijos delante. Con el tiempo, las cosas se irán normalizando, pero no hay que forzar desde el primer momento.

Las primeras citas no deben convertirse en interrogatorios; si se quiere saber más sobre su personalidad o su vida, es mejor averiguarlo a través de la conversación, de manera espontánea, sin someter a nadie a un tercer grado. Y, por supuesto, el divorcio no tiene que ser tu monotema: hay millones de asuntos de los que seguro puedes hablar mejor que de ese.

Todo es nuevo, pero no hay que deslumbrar aparentando ser una *superwoman*. Eres especial sin necesidad de exagerar, pero tampoco te quites importancia: nada de falsas modestias ni de amarguras para producir lástima. Deja que la relación fluya y que te traten como la estupenda persona que eres.

Por último, no todos los hombres serán como tu ex, no debemos hacer pagar al primero que se nos acerca toda la rabia que hemos acumulado durante el divorcio. Aplica el eslogan que tiene una amiga: «Hombre nuevo, vida nueva».

QUÉ TIPO DE RELACIONES ESTABLECEMOS CUANDO HEMOS APRENDIDO DE UN FRACASO

> «El problema con el mundo es que la gente inteligente está llena de dudas, mientras que los estúpidos están llenos de confianza».
>
> Charles Bukowski (1920-1994), escritor estadounidense.

> «Soportaría gustosa una docena más de desencantos amorosos, si ello me ayudara a perder un par de kilos».
>
> Sidonie-Gabrielle Colette (1873-1954), escritora francesa.

Si, a cualquier edad, conocer a la persona adecuada no es una misión sencilla —tendrás que aceptar que las cosas puedan salir bien o mal—, el hecho de cumplir años añade alguna que otra traba. Ya no eres la mujer que se enamoró y se casó hace algunas décadas, aquella joven llena de ilusión e ingenuidad. Debes superar el miedo a tener una nueva pareja y al sexo con otro hombre distinto a tu ex. Ahora tienes muchas vivencias, muchos conflictos y más años; además, él tendrá que quererte, con tu cuerpo imperfecto, tus cicatrices de todo tipo, tus circunstancias y tus problemas. Pero si quieres que te quieran de nuevo has de aceptar que eres una mujer, y no solo una madre.

Cada mujer tiene que administrar sus afectos, sus tiempos y sus necesidades, no seré yo quien juzgue a nadie por lo que haga con su vida. Dice el psicólogo argentino Walter Riso que «la mujer entra por el afecto y llega al sexo, el hombre entra por el sexo y llega al afecto, si todo va bien se encuentran y se estrellan por el camino». En una relación, cada persona puede buscar una cosa diferente, lo importante es coincidir en los afectos, en el respeto y en la confianza; si se tiene eso en común, todo lo demás vendrá rodado.

Tipos de uniones según los protagonistas

En una comida con un grupo de mujeres amigas —donde estaban representados todos los estados civiles: casadas, divorciadas, una soltera y una viuda—, a la hora del café, cuando más nos estábamos divirtiendo, hicimos un listado de los tipos de relaciones que podíamos tener las mujeres. Les he pedido permiso para incluirlo en estas páginas, porque creo que es bastante gracioso y da muchas pistas para saber cómo pensamos.

— **Los no-novios** protagonizan esas relaciones cuya existencia se niega, pese a ser conocida por todo el entorno. De estas hay muchas en el mundo de la prensa del corazón, el consabido «somos solo amigos».

— **Los amigos con derecho a roce,** o follamigos, en versión más vulgar, son aquellos con los que se tiene algo más que confidencias.

— **Los amigos comodín,** que decía una de estas amigas, sirven para un roto y para un descosido. Amistad, afecto y sexo, todo el catálogo con el mismo hombre, pero sin compromiso serio.

— **Amores Guadiana** son los que aparecen y desaparecen, esas relaciones con escaso futuro, con muchas peleas y con muchas reconciliaciones.

— **Amores «El Almendro»,** esas ilusiones juveniles que vuelven a casa. Aparecen después de las crisis y pueden recordarnos buenos momentos, sobre todo porque llegan en un tiempo donde se agradece cualquier tipo de afecto. Conozco más de un caso de boda con el primer amor o con un amor de juventud después de un divorcio.

— **Amores eternos**, los que puede que no lleguen a nada, pero siempre tienen un espacio en el corazón. Quizá son relaciones imposibles con las que sueñas, o simplemente amores que no son para ti.

— **Amores «ceda el paso»** son aquellos flechazos inconvenientes, esas relaciones en las que, una vez que conoces a la persona, comprendes que no es para ti y la dejas ir con todas las bendiciones.

— **Amores «stop»** son los prohibidos, los que surgen cuando te gusta el marido de una amiga, alguien a quien no podemos acceder, una persona que, definitivamente, no conviene.

— **Amores que matan...** de aburrimiento, como consecuencia de la falta de complicidad, la ausencia de entusiasmo o de futuro. Cuanto antes terminen, mejor.

— **Amores de transición,** en los que se pone interés, aunque, por mucho que te esfuerces, jamás se convertirán en definitivos.

— **Amores imán** son los que vives cuando lo único que sientes hacia la otra persona es atracción, incluso los que son tan especiales que no puedes separarte de ellos.

— **Amores más duros** (que no maduros), se dan con esas personas que disimulan los sentimientos, aunque los tengan. Hay que romper auténticas fortalezas para que hagan una caricia.

— **«Amor-fos»** son esas relaciones que un día te hacen preguntarte: «¿Y yo por qué estoy con él?», y resulta que no encuentras ni una buena razón. Son las parejas por inercia.

Había alguna clasificación más, pero reconozco que era un poco soez y tampoco es este el lugar más indicado para consignarla.

Ventajas de amar en segunda convocatoria

Nuestros años nos dan el valor y la experiencia para valorar otras cosas, ya no tenemos edad de andar haciendo tonterías.

Por eso miramos todo desde la tranquilidad, hemos dicho adiós a la prisa. Desde el afecto, y no desde la desesperación. Desde la independencia, y no desde el apego excesivo. Desde la igualdad, y no desde el miedo. Desde la complicidad, y no desde la exigencia. Desde el gusto por compartir, y no desde la imposición.

POR QUÉ ES DIFERENTE ENAMORARSE A PARTIR DE LOS CINCUENTA

Yo me separé cuando ya había cumplido los cincuenta años, una década complicada. Sabemos mucho de los cambios de las mujeres con la llegada de la menopausia, y ya me he referido anteriormente a este aspecto, pero ¿qué les ocurre a ellos? He tratado de ver los cambios que sufrimos en un período de nuestras vidas en el que cada vez más matrimonios se van al traste. Por eso es importante prestar atención a esta década, cada vez más prodigiosa.

La dictadura de la imagen

Las mujeres, durante toda su vida —pero especialmente a esta edad— están sometidas a la llamada «dictadura de la imagen», que sobrevalora nuestra juventud y nuestro aspecto físico por encima de nuestra inteligencia, de la personalidad, de los desarrollos profesionales o de la preparación. Estos implacables raseros tratan de convertir a las mujeres en meros objetos, a veces sexuales —¡a nosotras, que nos educaron con la máxima de que el amor no tenía edad!—. Al final, nos hemos dado de bruces con la realidad: lo cierto es que se nos analiza con una lupa gigante que no cede hasta que nos encuentra cualquier defecto.

Las mujeres tenemos que imponer un giro a lo que se espera de nosotras: tenemos que valorarnos por lo que somos, porque hemos llegado a esta edad después de un largo recorrido lleno de alegrías, problemas, salud, disgustos y tristezas. Esta es nuestra verdadera riqueza y nuestro patrimonio. Por tanto, no existe una cirugía que borre la totalidad de los rasgos que los malos momentos dejaron en nuestra piel y en nuestro cuerpo.

A las mujeres, socialmente, se nos exige demasiado. Debemos mantenernos perfectas, delgadas, activas, enérgicas, con buen humor, magnífica disposición; debemos poseer el conocimiento y la madurez de los cincuenta, pero sin que exteriormente se nos note que los tenemos; debemos estar en el mundo, pero seguir sorprendiéndonos ante cualquier banal conversación masculina. Si cumplimos todos esos requisitos, se nos permitirá gozar de una vida plena y exitosa, en cambio, todas aquellas que no se adapten a estos cánones no tendrán derecho a ella. En esta humillante tarea de acoso estético que las mujeres sufrimos conforme vamos envejeciendo, colaboran los medios de comunicación, la publicidad, el *marketing*, los hombres, incluso, a veces —aunque no me gusta reconocerlo—, las propias mujeres.

Ahora les toca a ellos: los queremos estupendos

Cansadas de la persecución que dirige nuestros pasos en busca de la eterna juventud y la imagen cuasi perfecta, las mujeres hemos empezado a aplicar estos mismos raseros a los hombres. De alguna forma, el estereotipo de perfección se ha ido ampliando, y ahora también se les aplica a ellos. Quienes piensen que ha llegado el momento de que les paguemos con su propia moneda puede que no estén muy desencaminados.

Las mujeres también hemos empezado a poner condiciones respecto a la edad y a la imagen de los hombres que nos atraen. Hasta ahora parecía que se habían ido de rositas, pero los varones que están en torno a o superan la cincuentena también empiezan a presentar ciertos deterioros físicos: unos relacionados con el envejecimiento, pero otros a causa de la falta de interés. El abandono y el descuido de algunos hombres nunca han sido estéticamente aceptables, afectan negativamente a su atractivo físico: la calvicie, la fealdad, la tripita, los pelos en la nariz y las orejas, la falta de cuidado de la piel o de mantenimiento del cuerpo, esa papada que cuelga temblorosa debajo del mentón, la redondez, el desinterés en el vestir, etc.

Os cuento una anécdota que me sucedió y que resulta ilustrativa. Hace unos años me encontraba en uno de los sitios más bonitos de los que se puede disfrutar en la noche de Toledo: La Venta del Alma. Había salido con dos amigas, porque a mí me encanta bailar y ese era el lugar indicado para hacerlo. Se nos acercaron tres señores, bastante mayores, descuidados en el vestir —y en lo demás—, y pretendieron invitarnos a una copa. Ante nuestro desinterés, para que veáis hasta qué nivel llega el ego y la grosería de algunos personajes, pronunciaron la siguiente frase: «Pues ya vais cumpliendo años…, ya no estáis como para desaprovechar oportunidades». Reconozco que nos dio un tremendo ataque de risa, pero luego, ya más tranquila, pensé que los hombres siempre consideran que ellos son estupendos y que llevan la batuta de las relaciones; ni siquiera se les pasa por la cabeza que hay veces que, simplemente, no gustan.

Ellos también pasan por quirófano

Desde hace no mucho tiempo, el hombre también ha comenzado a tomarse en serio su imagen y su estética. Primero fueron los llamados «metrosexuales», habituados al uso de cosméticos, grandes consumidores de ropa y accesorios y con gran tendencia a los pequeños arreglos estéticos y a copiar la imagen femenina. Después llegó el «übersexual», más o menos en la misma línea, pero que mantenía una tendencia más masculina. Hombres que se machacan el cuerpo en gimnasios, con agendas mensuales de masajes, depilaciones, manicuras y pedicuras…, hombres que, sencillamente, no se conforman con lo que tienen, sino que se esfuerzan por mejorarlo.

Por último, los varones han roto el último tabú: pasar por quirófano para eliminar sus imperfecciones y poder competir con los que ya venían *de fábrica* con un estupendo aspecto físico.

Las cirugías más solicitadas por los hombres son los implantes capilares —¡esta intervención la conozco de cerca!—, porque ellos ya no se quedan tranquilos con su «calvita incipiente» o con esas entradas que más parecen salidas. Ahora reponen su cabello y con eso mejoran su aspecto físico, su autoestima y parecen rejuvenecer.

Además, hay que citar la rinoplastia o cirugía de nariz; liposucciones de abdomen y cintura, para solucionar problemas de sobrepeso, *barriguitas cerveceras* o la ausencia de un ejercicio disciplinado; reducción de ojeras, bolsas bajo los ojos y párpados; estiramientos de cara; retoque en pómulos y labios, o depilaciones láser en partes insospechadas.

Presionados por su entorno laboral, por sus tendencias sexuales o porque inician una relación con alguien más joven, ellos se atreven más a dejar en manos de los cirujanos su cuerpo. La estética cada vez entiende menos de femenino y masculino, y más de superación de los complejos y mejora de las imperfecciones.

¿Qué ideal buscan hombres y mujeres de cincuenta para enamorarse?

Nosotras, llegadas a esta etapa, no deseamos a hombres muy jóvenes porque no tenemos ningún interés en hacer de madres, en volver a educar. Los hombres de cincuenta o más quieren mujeres más jóvenes porque se sienten crecer cuando las pasean como si fueran trofeos. Ellos ya no quieren estar al lado de sus parejas con *arruguitas* y algunos kilos de más, y buscan, incluso en las páginas de Internet dedicadas a ello, mujeres veinteañeras con las que vivir lo que creen una segunda juventud. En algunos casos, estas les sacan la sangre en forma de dinero y regalos y, una vez exprimidos, los abandonan. Entonces, ellos vuelven a buscar cobijo donde piensan, ingenuos, que aún se les espera.

Tengo un amigo que ronda los setenta al que le gusta ligar con mujeres mucho más jóvenes que él. Para impactarlas, les cuenta que participó en los acontecimientos de Mayo del 68 en Francia. Algunas veces las conquistas son tan jóvenes que ni siquiera saben de qué les está hablando. Una de ellas, cuando le explicó lo que había sido y qué había significado el Mayo francés, le dijo: «¡Qué genial, ese año nació mi madre...!». Creo que todavía no se ha recuperado de la impresión. Siempre hay que intentar que las diferencias generacionales no sean abismales; como mínimo, que se tengan intereses, aficiones y vivencias, si no comunes, por lo menos algo cercanas en el tiempo, más que nada por no hacer tremendos ridículos.

A esta edad, las mujeres se encuentran más seguras de sí mismas, ya han alcanzado objetivos profesionales, solo quieren seguir avanzando para lograr sus metas; no suelen necesitar a nadie que les rellene el ego. Los hombres también pueden haber alcanzado objetivos profesionales, pero prefieren chicas a las que es más fácil asombrar.

Una mujer no necesita tener al lado a un hombre para elegir sus aficiones e intereses, puede sumar aficiones ajenas, pero solo porque le gusten. A veces, los hombres que deciden estar con señoras mucho más jóvenes se lanzan a realizar actividades en las que están completamente fuera de contexto, de modo que llegan a resultar patéticos.

A una señora no suele importarle lo que los demás piensen de ella, han llegado a un punto en el que viven y dejan vivir. A un varón le importa mucho llevar al lado a una chavala, mejor si es atractiva, aunque sea un florero; lo fundamental, sobre todo, es la envidia que despierta entre otros hombres.

Nosotras no necesitamos una pareja para poder tener una vida plena o para establecer relaciones sociales; nos han educado en la socialización y la autosuficiencia; nos gusta hablar de nuestras emociones y comunicarnos desde muy chicas. Los maduritos necesitan permanentemente al lado a una persona porque no saben estar solos, siempre necesitan alguien que les resuelva ciertas situaciones, digamos, de primera necesidad.

Las féminas suelen reconocer los méritos de los demás, porque saben lo que cuesta que les reconozcan los méritos propios. Ellos están acostumbrados a ser valorados, a veces hasta por el más mínimo detalle, aun cuando no siempre todo lo que hacen es meritorio y no siempre su trabajo está bien hecho. No hay que suponerles el valor siempre, como a los soldados.

Las mujeres que, a partir de los cincuenta, llevan vidas libres, sin prejuicios y son sexualmente activas, con frecuencia son tildadas de «busconas». Los hombres de cincuenta o más, en situaciones similares, son considerados «tigres en la cama».

Nosotras no tenemos problemas para expresar nuestro amor, para hablar de nuestros sentimientos. Ellos expresan más difícilmente lo que sienten porque creen que eso implica un compromiso.

Es frecuente que las señoras tengamos nuestras vidas resueltas, así que no nos dejamos engatusar por las apariencias. Los hombres suelen tirar de billetero para conseguir llevar al lado a mujeres de edades y estéticas que, en condiciones normales, nunca estarían a su alcance.

Las mujeres buscamos el compromiso afectivo, porque para nosotras amar con ganas es importante; ellos desean vivir la vida al máximo, haciendo las locuras que puede que no hayan cometido cuando tenían la edad de hacerlas, y sin comprometerse demasiado.

Las mujeres de cincuenta o más están acostumbradas a escuchar, a comprender, a acompañar y a apoyar; los hombres de esa edad se han habituado a ser escuchados, comprendidos, acompañados y apoyados.

Por todo esto, por parecer que unos somos de Venus y otros de Marte, como titula aquel famosos éxito de ventas, resulta complicado encontrar un «mirlo banco» que nos comprenda y nos ame. Pero haberlos, los hay.

¿Por qué elegir a un hombre de mi edad?

Parece que, con lo anteriormente expuesto, habría que huir, sin mirar atrás, de esos señores que nacieron en la década de los sesenta o antes. Nada más lejos de la verdad.

Por más que las tiránicas tendencias actuales nos impongan que lo joven es lo mejor, a mí me sería imposible mantener una relación con alguien de treinta años, aún peor si fuera más joven. Un hombre en la treintena y yo nunca podríamos tener vivencias ni gustos comunes, él ignoraría la música que me gusta, no conocería los autores a los que leo y, con la cantidad de ofertas nuevas que hay, jamás vería el cine que ha marcado mi vida. Hay veces que me junto con personas de generaciones posteriores a la mía y parece que ni siquiera hablamos el mismo idioma, y que conste que yo salgo, me informo y estoy en el mundo, ¡no quiero pensar cómo sería si yo no tuviese inquietud por aprender cosas nuevas!

A las mujeres que ya estamos en la cincuentena, los hombres nos meten en la categoría de veteranas o de mujeres mayores. Lo malo es que son nuestros coetáneos los que nos definen así. La mayoría de los cincuentones considera que las mujeres de su misma edad se encuentran casi fuera de la circulación, nosotras solemos ser más condescendientes y menos crueles. Dice una amiga que «los hombres son como los vinos: la edad estropea los malos, pero mejora los buenos».

Si las mujeres de cincuenta aceptásemos este tipo de maltrato psicológico y también cultural al que nuestros compañeros de edad nos someten, deberíamos aceptar que nuestro objetivo de pareja sean los señores a partir de setenta, eso sí, bastante reciclados, si queremos que nos sigan el ritmo. Pero estos señores que creen que vienen a salvarnos de la soledad o del abandono, a veces, también buscan mujeres de treinta y cinco, a las que pasean como trofeos.

Un día nos invitaron a comer en casa de un amigo, en una finca fuera de Madrid. Mi amigo nos comentó que en la mesa estaría presente su madre, a la que debíamos disculpar porque tenía alzhéimer y había ratos que hablaba de forma inconexa y sin fundamento. En total, éramos unas diez personas, entre ellas, una pareja que yo no conocía. A él, un hombre de unos sesenta años, lo presentó el anfitrión como amigo de la infancia. Le acompañaba su novia, una mujer muy joven y atractiva. Comenzó la comida, la conversación era distendida y todos participaban, a excepción de esta pareja a la que acabo de referirme, que se prodigaba constantes muestras de cariño, besos y caricias. De pronto, tras un inoportuno silencio, la madre del anfitrión, que los observaba, le comentó a su hijo en voz alta: «Oye, este amigo tuyo..., ¿no es demasiado cariñoso con su hija?». Todos nos miramos con cara de circunstancias, porque la buena señora había dado en el clavo, decía cosas con mucho fundamento; en efecto, la chica parecía la hija del señor, y ella lo único que hizo fue verbalizar lo que ninguno nos habríamos atrevido a expresar en voz alta.

Puede que un pequeño porcentaje de estas relaciones de edad desigual funcione porque haya auténtico cariño —y no interés mutuo—, pero me parece que, para que las parejas marchen, realmente tienen que estar equiparados lo físico y lo mental. Por otra parte, nos encontramos con que las parejas que se forman con mujeres más jóvenes quieren empezar una vida familiar desde el principio hasta el fin, y en ese espacio de tiempo quieren tener hijos, no *les sirven* los que ya tienen sus novios, maridos o amantes de relaciones anteriores, quieren familias propias. Por eso se ven por ahí padres con niños que más parecen nietos antes que sus propios retoños, de la misma forma que ellos mismos parecen más padres que esposos.

En cuanto a la estética, de la misma forma que he hablado de mujeres que tratan de agarrarse a la juventud con operaciones y atuendos completamente fuera de su edad, también veo a señores que, por acercarse a las edades de las parejas que les acompañan, utilizan unos atuendos tan pintureros y ridículos que producen estupor.

Mujeres: deseables a cualquier edad

Si hablamos de lo que estamos buscando cuando volvemos al ruedo del amor, no podemos esquivar este tema que tanto daño hace a muchas mujeres: la sensación de haber perdido el atractivo a partir de un momento de su vida.

Soy feminista, siempre he luchado por la igualdad de derechos y de deberes, soy consciente de que la situación de las mujeres ha mejorado mucho, pero todavía existen estereotipos insuperables. En los medios de comunicación y en la publicidad nos siguen imponiendo un ideal de belleza femenina, y lo siguen vinculando con la juventud. A nuestra edad, y pese a tener más alto poder adquisitivo, la publicidad y el *marketing* han tratado de *invisibilizarnos;* incluso para vender cremas antiarrugas se utiliza a chicas tan jóvenes y con las pieles tan tersas que ¡maldita la falta que les hace su uso!

Las mujeres de más de cincuenta tenemos una historia en cada una de nuestras arrugas e imperfecciones; pero la presión social y mediática trata de convencernos de que nos beneficiará hacerlas desaparecer. Sin embargo, aquí estamos, nos gustaría tener cerca a los compañeros que están próximos a nosotras en edad y en vivencias. Si no es posible, porque ellos tienen intereses diferentes, no hay que preocuparse, otros compañeros de otra edad aparecerán por el camino. Con más de cincuenta años a la espalda, las mujeres hemos aprendido a querernos como somos, y estamos dispuestas a querer a los demás; nosotras no somos perfectas, y tampoco exigimos la perfección a quien nos acompañe en el camino.

Mujeres y hombres somos iguales en derechos, pero somos diferentes en prioridades. Espero que este apartado que he dedicado al enamoramiento a partir de los cincuenta no se haya entendido como un «manifiesto antihombres». Mi intención no ha sido dogmatizar en este tema, simplemente introducir una nota de humor y cierta dosis de sentido común. Solo he querido evidenciar la abismal separación de intereses y preferencias que, pese a tener la misma edad, nos separan a hombres y a mujeres.

EL SEXO CON UNA NUEVA PAREJA

> «Adoro los placeres sencillos; son el último refugio de las personas complicadas».
>
> Oscar Wilde (1854-1900), escritor irlandés.

Creo que tener sexo a cualquier edad es una sana costumbre, algo lógico y muy saludable. Muchas personas creen que las mujeres, cuando superamos la menopausia, dejamos de estar interesadas por el sexo: ¡craso error! El placer no tiene relación alguna con la reproducción; por eso, con la menopausia, lo único que desaparece es la capacidad de engendrar, no el deseo. Algunas amigas me dicen que en la temporada que siguió al divorcio, o durante las etapas en que no han tenido pareja, sufren de insomnio, se sienten pesimistas, padecen crisis de autoestima, incluso se ven aquejadas de los más diversos dolores, afectadas por la desesperanza, y ven pasar la vida por delante de sus ojos con apatía. No reconozco esos síntomas, y creo que no me dio tiempo a experimentar estas emociones en concreto, o puede que las tuviera y las achacase al trauma general de la ruptura. Esos síntomas, que a veces se interpretan como consecuencia de la edad, no son más que meros reflejos de una situación personal complicada.

La importancia del sexo

He leído que hay mujeres a las que se les diagnostica una falsa depresión, con aplicación del consiguiente tratamiento médico, en la creencia de que están afectadas por el mal de la melancolía, cuando lo que necesitan es tener una vida afectiva y sexual plena. A estas mujeres yo les recomendaría disminuir la dosis de pastillas y buscar una relación. A veces, cuando expreso esta idea, noto miradas escandalizadas a mi alrededor; sin embargo, pasado el *estupor* inicial, los que me escuchan admiten que puedo tener razón: quizá sea verdad, porque en mi cara se nota que tengo paz y me brillan los ojos. No tengo que aclarar cuál es el motivo de ese bienestar. No hay que mostrar pudor, hay que reconocer que las relaciones sexuales resultan esenciales para llevar una vida emocionalmente saludable; si, además, sumamos el amor y el afecto, entonces la vida se acerca bastante a la felicidad.

Antes, cuando una mujer permanecía soltera, o se separaba de su pareja, parecía que había pasado a la reserva, que el capítulo sexual se había cerrado para ella. Tradicionalmente, hemos tenido que conformarnos con nuestro destino y con el guion que otros escribían para nosotras. Pero, en la actualidad, las mujeres maduras nos atrevemos a tomar decisiones y a salirnos del papel asignado. De esa forma, nos hemos convertido en objetivo de las agencias de contactos, agencias de viajes, firmas de moda, estética y cosmética. Clamamos a los cuatro vientos que somos activas en el amplio sentido de la palabra; y sí, también se incluye la faceta sexual.

Educadas en la represión

Con el paso de los años, las señoras valoramos el sexo más que cuando éramos jóvenes; esto tiene una clara explicación: poseemos más experiencia. En la adolescencia y la juventud todo está por conocer, sobre todo para nosotras, que no aprendimos nada del sexo en esa etapa. Ni en el colegio ni con nuestras madres, que no nos hablaron de nada relacionado con el asunto, tan solo —en algunos casos— nos alertaron del peligro y de los malos rollos que acarreaba practicarlo. Fuimos creciendo sin información, no podíamos hablar con otras mujeres porque estaban en el limbo igual que nosotras, no disponíamos de libros sobre el asunto, no existía Internet... Llegábamos a la pareja, al noviazgo y al matrimonio como absolutas analfabetas sexuales, y era toda una proeza sacar adelante una relación y no salir corriendo.

Hablar de sexo, incluso con mis años, y con lo que llevo vivido, me causa cierto pudor. Las mujeres de mi época —¡hay que ver cómo suena esto de antiguo!— hemos tenido que superar muchos prejuicios. Ahora, las que nacimos en la década de los cincuenta estamos impresionadas por el exceso, como antes lo estuvimos por el defecto. A nosotras nos tocó hacer una auténtica revolución, tuvimos que romper los tabúes con los que nos lavaron el cerebro en el colegio, la religión...; nosotras comenzamos a hablar del erotismo con total normalidad. Generaciones anteriores identificaron el sexo con el amor, con la afectividad, idea que nosotras heredamos. Aprendimos que todo lo que producía placer era pecado y que, además, el sexo solo podía estar ligado a las uniones para toda la vida, fueran estas placenteras u horripilantes.

No tendré que explicaros que nos llamaron de todo por utilizar métodos anticonceptivos y por abandonar la idea de que sexo era igual a matrimonio y la ecuación terminaba con el nacimiento de los hijos. Nos convencieron de que, si las mujeres sentíamos placer, era prácticamente un pecado. Se nos educaba en la sumisión, la pureza y la castidad. Eso no servía más que para llegar como tontas a la unión con otro y, de paso, para perdernos algunos de los mejores años de nuestra vida sin enterarnos de que, detrás de las relaciones, se escondía algo bueno y placentero. Vamos…, que gozar no era una utopía.

Las mujeres de mi edad vivimos una época en la que todo era pecado, porque hasta ser feliz lo era. ¿Quién, con más de cincuenta, no ha oído la frase «Eso no es libertad, es libertinaje»? El sexo solo existía con el hombre al que estabas destinada y, a partir de cierta edad, dejaba de practicarse. Si lo había, incluso dentro del matrimonio, se consideraba sinónimo de vicio. Luchamos por ser libres y decidir, pero hubo momentos en los que nos transmitieron la idea de que estábamos abocadas a recrear las perversiones de Sodoma y Gomorra.

Tampoco nuestros compañeros lo tuvieron fácil. Ellos han tenido que cambiar sus esquemas de vida, les habían hecho creer que, en los asuntos de cama, solo tenían que preocuparse de su propia satisfacción. Nos ha costado tiempo y esfuerzo hacerles comprender que el sexo en pareja, como su propio nombre indica, es cosa de dos.

Liberadas y sexualmente satisfechas

Nos tocó rebelarnos contra ese ambiente opresivo, abrimos un camino que pocos nos han agradecido y trasmitimos a nuestras hijas, y también a nuestros hijos, valores de libertad, de dignidad y de respeto, pero también de tolerancia hacia lo que a nosotras nos era desconocido.

Ahora, con mi edad, la sexualidad está más valorada, la hemos convertido en protagonista. Hemos comprendido que seguir aprendiendo resulta vital, y en este capítulo nos encanta seguir formándonos. Me doy cuenta de cuántas cosas me he perdido, sensaciones a las que no he dado importancia... Y, con los años, he descubierto que he desperdiciado mucho tiempo, porque, francamente, el sexo es estupendo, placentero, saludable e insustituible.

Las mujeres sabemos que las probabilidades de actividad sexual se reducen conforme vamos cumpliendo años, que los encuentros son más tranquilos —aunque pueden ser más placenteros— y que es posible llegar al sexo sin la presión a la que estábamos sometidas antes. A nuestra edad, el sexo está más relacionado con la comunicación, con el *feeling* emocional y con la cercanía con nuestra pareja que con el deseo propiamente dicho. Con más de cincuenta, el sexo vincula el cuerpo y la mente más que nunca. Para conseguir llegar a la satisfacción sexual tienen que darse una serie de factores emocionales y sensoriales: las caricias, los besos, la dulzura, las palabras, los preliminares pasionales...

El sexo tiene que estar normalizado, ya es hora de superar los prejuicios y los tabúes con los que fuimos educadas. A mis cincuenta y siete, sé que, si no tengo sexo, puedo sufrir angustia y disfunciones. Quizá ahora varíe la frecuencia —o no, depende de cada mujer—, pero puede convertirse en más placentero, ya que se aplica la experiencia acumulada. Ahora estoy más preparada para compartir, soy más capaz de aprender y de comunicar mis necesidades y preferencias.

El sexo es, por tanto, una fuente de satisfacciones; quisiera expresar de manera sintética cuáles son las razones por las que no hay que renunciar a él:

Nos sirve para compartir la pasión.
Nos hace valorarnos y nos da seguridad.

Nos convierte en coprotagonistas de momentos especiales.

Nos hace buscar la felicidad del otro, mientras alguien se encarga de buscar la nuestra.

Nos permite soñar y nos desvela.

Nos muestra que, entre dos, puede haber complicidad.

Hace posible que olvidemos los problemas del día y que nos concentremos en sentir y lograr que el otro sienta.

Nos anima la vida después de un mal momento.

Sirve para reconciliarse con el otro después de un enfado.

Nos permite olvidar el reloj, la presión, las decepciones, el calor, el frío, el cansancio o la tormenta por unos momentos; solo importa lo que hacen y lo que sienten dos cuerpos.

Gracias a él aprovechamos el aquí y el ahora sin que nos importe lo que pueda pasar mañana, el pasado o mil días que vendrán

Nos anima a sentirnos vivos.

Todo lo anterior repercute en nuestro bienestar emocional, pero también nuestro cuerpo agradece el contacto de la piel del otro. Y es que, por poner solo algunos ejemplos, alivia los dolores musculares y tensionales, fortalece y relaja los músculos y resulta infinitamente más agradable y gratificante que la práctica de cualquier deporte. ¿No habéis notado que olvidamos completamente todos los achaques mientras mantenemos relaciones sexuales? Ni la cabeza, ni las rodillas, ni la espalda, ni ese terrible dolor muscular aparecen cuando tu cerebro está concentrado en dar y recibir placer. Y aún hay más... Se convierte en un antihistamínico natural, es decir, mejora y acompasa nuestra respiración. Definitivamente, el sexo resulta mejor que cualquier medicina.

Por otra parte, es fantástico como tratamiento de belleza. Durante el encuentro sexual se libera gran cantidad de estrógeno, y eso repercute de forma beneficiosa en nuestra piel y nuestro cabello, que aumentan su brillo y suavidad.

Es también un buen método adelgazante, que está especialmente indicado si se practica después de una romántica cena, porque así se queman las calorías que acabamos de ingerir.

Y luego está la liberación de endorfinas, a la que ya me he referido. Recordaréis que las llamamos las «hormonas de la felicidad». Por eso, después de practicar sexo se siente una fantástica sensación de bienestar y de paz que contribuye a reducir el dolor y mejora el sistema inmunológico. Practicado por la noche, tiene efectos sedantes que nos ayudan a superar el insomnio. Y no olvidemos que una vida sexual activa hace que las relaciones, en general, sean más fáciles y placenteras, algo que se debe a la producción de feromonas.

El sexo resulta excelente para mantener el equilibrio psicológico y emocional, pues colabora en el aumento de la autoestima y la confianza, mejora el estado de ánimo y es un antídoto contra la depresión, la ansiedad y el estrés. Se dice que las mujeres que llevan una vida sexual activa incrementan notablemente su calidad de vida.

Con la edad, las mujeres perdemos cierta elasticidad y la lubricación natural, problemas mínimos que se pueden solucionar, porque el mercado ofrece productos para mejorar la calidad de nuestra sexualidad. Así que tampoco nos sirve esa excusa para abandonarnos bajo las sábanas.

En el sexo, sabemos lo que queremos

Tenemos una edad en la que conocemos a la perfección nuestro cuerpo, nuestras preferencias y también lo que no nos satisface. Por ejemplo, sabemos que nunca hay que olvidar las caricias y los preliminares. Sin duda, existen muchas zonas donde tanto hombres como mujeres tenemos que indagar y con las que hemos de experimentar.

Hay mucho por explorar, actividades nuevas que realizar y posibilidades para ir variando. Caer en la rutina en un tema que ofrece tantas posibilidades supone simplemente apatía y desinterés por el otro. Comunicarse abiertamente con la pareja y expresarle nuestros deseos o temores, además de mejorar la intimidad sexual, beneficiará la relación de confianza y de amistad.

No obstante, no perdamos de vista que no todo lo que vemos en el cine o la televisión es fantástico o realizable; a veces la bañera, la playa u otros sitios muy cinematográficos pueden convertirse en auténticos potros de tortura.

Es importante saber leer las señales y las miradas, y tener en cuenta que, en una pareja, los ritmos los marcan los dos, no uno solo. Muchas veces, las palabras y los gestos son también muy placenteros. Y no hay que tener prisa: el sexo y la prisa no pueden casar bien.

Desde luego, nunca hay que perder la capacidad de transmitir cariño, porque el sexo puede ser el mayor acto de amor. De principio a fin, los dos deben sentirse deseados y exclusivos, especialmente al finalizar.

Por último, el sexo es comunicación y armonía entre nuestro cuerpo y nuestro cerebro. Con el paso del tiempo el sexo es diferente porque nuestros cuerpos han cambiado y nuestras necesidades no son las mismas. El sexo ahora está basado en la madurez, la calidad, la calidez y en la experiencia. Sabemos que resulta necesario y beneficioso porque para nosotras la sexualidad va unida a las palabras, al afecto, a la intimidad, a la confianza, a los sentidos y a la atención mutua. Las mujeres de más de cincuenta hemos aprendido a decir sí, y también a decir no, porque nuestra motivación no es complacer, nuestra motivación es el placer compartido.

¿QUÉ PASA CUANDO EL EX SE ENAMORA?

«A ti, A. Tres símbolos quiero entregarte hoy;
La luz, porque iluminaste mi camino, sin ropajes ni
mentiras.
La alegría, que me diste a raudales, con sensibilidad y
con inteligencia, hasta hacer de nuestros momentos la
mejor diversión.
Y el amor, que abrigó el hielo que anida a veces en los
corazones maduros, llenó de calidez las noches más frías y
devolvió la ilusión a mi vida. Gracias, A.».

Dedicatoria de PR, divorciado, el día que le pidió a su actual
pareja que vivieran juntos (2004).

Terminar la relación ha sido una dura experiencia, pero puede convertirse en especialmente dura al saber que el ex lleva una existencia tranquila, feliz... y con pareja. Nadie se desenamora y se enamora en cuestión de días, si esto es lo que parece que te ha pasado, ¡despierta! Sentirse dolida porque el ex tenga una nueva relación es una cosa bastante natural. Solo hay que tener un dato claro, para los hombres la soledad resulta dolorosa y buscan enseguida una nueva pareja. Las estadísticas hablan de que el 75 % de los divorciados encuentran pareja y/o se casan pasados cinco años desde la ruptura.

Lo que ocurre es que, a veces, llegas a la conclusión de que el nuevo amor de tu ex no es tan nuevo, que ya venía de vuestra etapa de casados. Después del enfado inicial, que estará completamente justificado, piensa que este hombre no te merecía.

Otras veces el ex se enamora en las épocas de distanciamiento que se establecen de común acuerdo. Cuántas veces hemos oído la historia: «Se dieron un tiempo para pensarlo, él se fue de casa y en poco tiempo conoció a alguien y ya no volvió». Me decía una mujer todavía en proceso de divorcio:

En ese momento me pareció una idea estupenda, ¡que se vaya una temporada y verá lo que es estar solo y lo que es echarme de menos! Pero la que lo eché de menos fui yo; él se lio con su socia aprovechando unos viajes de negocios, cuando quise retomar la relación me dijo que yo llevaba razón, que las cosas no iban bien y que lo mejor había sido alejarse, pensarlo y romper. Me soltó que él no me había fallado porque se había liado con la otra cuando ya no estábamos juntos. Encima, con cinismo.

Ahora que el divorcio está en marcha, ella reconoce: «Tengo que asumir que me equivoqué, tenía que haberlo intentado dialogando, no dándole la maleta, porque, como ya la tenía hecha, la aprovechó y no volvió». No sé por qué ahora me ha venido a la cabeza la frase que otra amiga dice: «Cuidado si lo que vas a decir no es más bello que el silencio». Con esto está todo dicho.

Parecido es el caso de una pareja cuya relación llevaba tiempo sin ser buena, que incluso había superado alguna aventura protagonizada por él. Ella, una mujer joven, inteligente, triunfadora y muy dinámica; él, un empresario de más edad, con muchos viajes y compromisos profesionales y sociales. Todos los años atravesaban pequeñas crisis personales, propiciadas por el exceso de trabajo. Siempre las superaban, con más o menos daños colaterales. Hace dos años, tras seis meses sin ningún contacto, ella empezó a tener la sospecha de que había alguien más. Durante unas semanas en las que se produjeron algunas llamadas telefónicas, él lo negó categóricamente, aunque más tarde acabó por aceptarlo: reconoció que estaba ilusionado con alguien, pero que todavía no había nada serio. Cuando ella le propuso volver, él se negó y le habló de su nueva relación, una mujer de su misma ciudad y más cercana a su edad y a sus circunstancias personales.

A la esposa le ha costado asumirlo y, al principio, lo consideró como un fracaso personal. Le recomendé que cerrara este capítulo de su vida, porque no habrá marcha atrás, que no intentara pensar en lo que hubo de bueno, sino en lo que les llevó al distanciamiento; claramente, las cosas que les separaban pesaban más que las que les unían.

Infidelidades dentro del matrimonio

Podría poner cientos de ejemplos de esposas que sorprenden a sus maridos teniendo relaciones sexuales con otras mujeres en su vivienda, en el despacho, en el coche, en hoteles discretos para disimular, o de poderío para impresionar. Creía que estas cosas pasaban en las películas, pero no, la realidad siempre supera la ficción, estas situaciones se producen de forma más habitual de lo que pensamos.

Ante los amores de los ex, dan igual las circunstancias particulares, siempre hay que mantener la calma, no añadir más estrés y, por supuesto, no caer en la pérdida de la autoestima. Conozco casos en los que la edad, el físico o la situación profesional de la nueva relación del ex nos hacen entrar en comparaciones de las que, en ocasiones, se sale muy perjudicada. Has vivido y criado hijos, has trabajado, todo esto te ha ido dejando huellas..., ¿cómo vas a ser igual que alguien que no ha tenido las mismas experiencias que tú?

Por lo demás, cuando ya hay otras relaciones, no hay que preguntar por los ex ni empeñarse en saber cómo es la nueva persona que se ha incorporado a su vida. Hay que hacer todo lo posible para cortar los lazos que os unían, incluso sacarlo de tus redes sociales, para que no sepa de ti, ni tú de él.

Ante todo, llévalo con mucho sentido del humor, no pierdas ni un minuto en averiguar si le va bien o mal, bastante tienes con salir tú adelante. Piensa que hasta las relaciones más idílicas requieren esfuerzo, que los príncipes y las princesas azules no existen y que en la nueva relación también habrá competencia, desafíos, conflictos y discusiones. No hay que alegrarse de los obstáculos que les saldrán en él camino, pero tú sabes que, sin duda, surgirán.

7
TRAS EL DIVORCIO, EL COMIENZO DE UN TIEMPO NUEVO

Nadie va a resolver mis problemas, ya no espero un manual de instrucciones

> «Actuar es fácil, pensar es difícil, actuar según se
> piensa es aún más difícil».
>
> Goethe (1749-1832), poeta y dramaturgo alemán.

> «El sabio puede sentarse en un hormiguero, pero solo
> el necio se queda sentado en él».
>
> Proverbio chino.

Estamos llegando al final. Lo que empezó siendo un reto, por fin parece que se ha hecho realidad. *Alea jacta est*, o la suerte está echada, como dijo Julio César al cruzar el Rubicón.

Escribir estas páginas me ha servido para descubrir que asumo mis acciones y que, a mis años, soy una mezcla de expectativas y de creencias, es decir, lo que ya sé y lo que me queda por aprender. Ahora trato de evitar cometer errores que, ya con mi edad, me cueste mucho tiempo superar.

Tengo un guion de pequeñas normas con las que poder orientarme; considero que resulta vital tener referentes, saber cuáles son nuestros objetivos y luchar con toda nuestra fuerza por sacarlos adelante. Estos son los lemas que yo intento aplicar cada jornada de mi vida y que pueden serviros a vosotras, sobre todo si habéis afrontado un divorcio reciente. A mí me han resultado muy útiles. ¿Por qué no lo pruebas tú?

Levantarme todos los días con energía, buscando una razón para empezar feliz cada jornada.

Sonreír como norma de conducta, porque si yo estoy bien, la suerte está de mi parte.

Tener energía en el trabajo, porque, como doy todo de mí, puedo afrontar cualquier problema, por duro que sea.

Sacar tiempo para hacer actividades que realmente me gusten: hacer ese viaje que he soñado, disfrutar de las pequeñas cosas...

Buscar tiempo para estar con las personas a las que quiero, esos ratos no son momentos malgastados, pueden convertirse en los más útiles del día, porque son instantes que recargan el corazón y la mente de energía.

Armonizar mi cuerpo y mi mente, solo así podré sacar adelante las cosas que tengo que hacer: el ejercicio, la dieta sana, el trabajo, las obligaciones, etc.

Soy capaz de superar la culpa cuando cometo errores, puedo dominar la presión y eso me hace controlar el estrés y la ansiedad.

Llegar a las últimas horas de cada día con la sensación de la tarea bien hecha y terminar mi jornada con auténtico descanso, porque soy capaz de desconectar de las preocupaciones: la cama es para otras cosas, no se debe convertir en un consultorio, una asesoría o la segunda oficina.

Hablar y expresar el afecto, siempre. Es un error pensar que, a fuerza de repetirlas, las palabras se van gastando y van perdiendo su significado. No es así.

Como mujer que he superado los cincuenta años, tengo conciencia de mi condición femenina. Por eso me gusta crear verdaderas relaciones de amistad con mujeres, sin competencia y sin competición. A nuestra edad es más gratificante tener empatía que poner zancadillas para conseguir un fin. A nuestra edad ya no nos sirven las normas masculinas.

Un tiempo nuevo

Esas ganas de vivir surgen, a veces, de una decisión que, en un principio, podría resultar negativa: la ruptura de una relación sentimental.

El divorcio es el resultado de los acuerdos que han tomado dos personas con el fin de mejorar aspectos de sus vidas que no funcionaban. No hay que pensar si es un error o un acierto; simplemente, supone la fórmula que hará posible que consigas rehacer tu vida y convertirte en aquello que tú deseas. Divorciarse, lejos de ser una equivocación, supone una nueva oportunidad que la vida nos da para que empecemos de nuevo; es una pérdida, pero también una liberación.

Hemos llorado de rabia, sacado nuestros miedos y aguantado un dolor que amenazaba con acabar con nosotras, pero que finalmente no lo ha hecho; estamos aquí, mejor de lo que nunca pensamos. La tristeza ha dado paso al alivio, a la alegría y a la confianza; habrá ratos en los que tendremos recaídas, son inevitables, pero lo peor ya ha pasado. Has tomado decisiones, otras las han tomado por ti, pero en este instante estás convencida de que tu vida actual es mejor que el desamor de otros tiempos. Es el momento de tener nuevos intereses, nuevas iniciativas y nuevas personas a tu alrededor; todo lo nuevo te hará descender más rápido la pendiente del dolor y dejarla atrás. Ahora conoces tus errores, sabes tus necesidades y no te conformarás con cualquier cosa. Eres merecedora de amor y capaz de darlo.

Mens sana

He hablado de cómo cuido mi cuerpo, mi piel, mi forma física o mi alimentación en esta nueva etapa de mi vida, pero todo esto no tiene ningún sentido si no cuido mi mente. Veo muchas veces en las noticias personas que cuidan el cuerpo de forma extrema, pero a su vez toman sustancias que afectan negativamente a su mente. Ese tándem, por mucho que se empeñen, nunca funciona. Tampoco si cuidamos de forma estricta nuestro pensamiento y luego nos abandonamos al sedentarismo, la comida basura, el alcohol u otras sustancias. También en esto el término medio es el virtuoso.

Soy una persona espiritual, no en el sentido religioso del término, sino en lo que se refiere a la necesidad de vivir en armonía. Han sido muchos años los que he dedicado a descubrir el camino correcto para alcanzar la situación de paz interior en la que actualmente me encuentro. Ser positiva ha conseguido que logre metas que, en otros momentos, se me habrían escapado de las manos. La armonía me ayuda a superan los síntomas del cansancio, a luchar contra el estrés, a reforzar el sistema inmunológico y a tener menos propensión a la enfermedad. Es gratificante la sensación de cambiar algunos modos de conducta que no me son beneficiosos por hábitos positivos, aunque ello cueste un esfuerzo. Y es que nada es regalado.

Hoy, tengo ganas de estar alegre de forma permanente, pero asumo que la vida no son siempre rosas, que lo que llega no tiene por qué ser lo que esperamos y que, algunas veces, lo bueno viene disfrazado de decepción.

La luz al final del túnel

Una amiga divorciada me contaba que, tras un matrimonio en el que hubo maltratos físicos y verbales constantes, llegó una separación dolorosa y traumática. El ex estaba obsesionado con ella y pretendía seguir controlándola. La perseguía con el coche, hablaba mal de ella en su lugar de trabajo, amenazaba a sus amigos y familiares, incluso un día le roció el coche con gasolina. Hubo más de una visita al juzgado y llegó a temer por su integridad física. Pese a todo lo vivido, o precisamente por eso, ella se ha convertido en una mujer optimista y luchadora hasta el extremo, y su lema vital es «nada es igual para siempre, todo se transforma». Cambió de ciudad, luchó por su estabilidad y la de sus dos hijos y ahora dice que es feliz porque la ha dejado en paz, porque por fin puede llevar «una vida mediocre, aburrida y sin sobresaltos, que no cambiaría por nada».

Los pilares de mi vida

Tras haber pasado por cambios sustanciales en mi vida, como haber roto un matrimonio que había durado décadas, ahora sé dónde puedo apoyarme...

— Allí donde creo que estoy ante un muro insuperable, siempre puedo hallar la salida.
— Mis peores pesadillas pueden convertirse en mis mejores ocasiones.
— Quien es mi peor enemigo puede convertirse en mi mejor aliado.
— Lo que me hizo daño durante un tiempo luego se convirtió en fortaleza. En Castilla-La Mancha lo dicen con una expresión un poco más tremenda: «Lo que no te mata te acaba haciendo engordar».
— No siempre son los aciertos los que me han hecho avanzar; he aprendido más de mis errores, que me han hecho reaccionar más rápido.
— Tengo la posibilidad de elegir en cada momento lo que quiero hacer, pero sigo acudiendo a la experiencia para decidir entre una opción y otra; la experiencia me indica casi siempre que no debo escoger ni lo más cómodo ni lo más adecuado.
— Sé que he de aprovechar el momento en el que todavía puedo cambiar de rumbo; si reacciono tarde, puede que las cosas no tengan solución.
— Estoy bastante satisfecha con lo que soy, pero siempre estoy intentando mejorar como persona.

— Si en mi camino no me voy encontrando fracasos, es que no estoy arriesgando lo suficiente, no estoy siendo valiente, solo cómoda.

— Todo lo que tiene algún valor, aunque sea mínimo, se obtiene con mucho esfuerzo, nadie te regala nada, por todo lo que merece la pena hay que luchar hasta el final.

— Si no espero mucho, es porque ya creo que lo he conseguido todo y he perdido la ilusión.

— Si no sé hacia dónde me dirijo, es probable que nunca llegue.

— Lo que realmente cuenta en mi vida no son las cosas que tengo a mi alrededor, sino las personas que permanecen a mi lado.

— He aprendido que siempre debo despedirme de las personas a las que quiero con palabras cariñosas, porque podría ser la última vez que las veo.

— Todo lo que me hizo daño en mi ruptura me sirvió para no equivocarme nuevamente.

— Solo cuando volvemos a querernos a nosotras mismas estamos listas y preparadas para volver a amar y dejar que nos amen.

— No puedo vivir condicionada permanentemente por las experiencias previas; cualquier tiempo pasado solo es eso, pasado.

— El amor supone un esfuerzo, no podemos esperar que la felicidad nos caiga como la lluvia.

— Para que haya amor y compromiso tendrá que haber lazos sólidos, valores y metas comunes: nada surge porque sí.

¿Existe la mala suerte?

A lo largo de toda nuestra vida hemos tenido infinidad de sueños y esperanzas. Cuando era niña, mi meta era conseguir una muñeca o un juguete especial; conforme vamos creciendo, nuestros sueños van adquiriendo más peso, porque los adecuamos a las realidades que vivimos en cada momento. La clave es que nuestros sueños son tan importantes que nunca hay que dejar ninguno sin realizar, porque a nuestra edad nos damos cuenta de que el futuro es ahora, y todo lo que no hagamos ya puede que se quede por hacer.

A menudo pasamos por la vida con los ojos cerrados, sabemos solo lo que nos falta y somos incapaces de ver lo que ya hemos conseguido. Os contaré un pequeño secreto: soy una fan de todo lo esotérico, siempre me ha gustado conocer mi futuro, sin obsesionarme, pero me ha interesado saber por dónde podían venirme las sorpresas o las bofetadas del destino. Cuando pasamos malas épocas, seguro que cualquiera de nosotros habría querido poder saber en qué momento iba a acabar lo malo y a empezar lo mejor. Yo he tenido algunas fases en mi vida en las que he creído que jamás volvería a ser feliz de nuevo, que nunca más vería la luz, porque estaba metida en un túnel oscuro. El mismo pesimismo me creaba desasosiego, y este me inundaba de negatividad, había entrado en un bucle terrible. Me engañaba pensando que siempre me encontraba en el lugar inadecuado y en el momento menos idóneo. Parecía tener un imán para la mala suerte, por eso me volví temerosa, tenía miedo a equivocarme y pensaba que mi vida no volvería a enderezarse.

Como llevaba una temporada en la que todo me salía mal, unos amigos me recomendaron que visitara a alguna persona que me liberase de esa energía negativa que, según parecía, alguien me estaba enviando porque deseaba hacerme daño. Yo algunas veces había visitado a RB, ya un amigo, que me echaba las cartas y con el que pasaba entretenidos ratos de charla. Un día me comentó que, efectivamente, había una mujer, a quien me describió y a quien yo identifiqué por sus explicaciones, que estaba tratando de causarme malestar. Lo cierto es que yo había sufrido un proceso infeccioso cuya causa los médicos no supieron encontrar, así como otros episodios francamente extraños. Me fui con cierto mosqueo, pero sabiendo que yo no podía caer en creencias y temores raros.

Llevaba unos meses instalada en la casa de Toledo a la que me mudé tras el divorcio. Era un pequeño chalet adosado, ubicado en una urbanización apartada a la que prácticamente nadie se había trasladado todavía, apenas dos o tres vecinos. Vivíamos solas Sofía y yo. Una noche se empezaron a oír ruidos extraños y de los inodoros, los sumideros, de la bañera y de los lavabos empezaron a salir a borbotones porquerías, todo tipo de guarrerías e inmundicias. Ya sabéis a qué me estoy refiriendo…: a m----- pura —no quiero dejar aquí escrito un término malsonante, porque luego me riñen mis nietos por decir «palabras prohibidas»—. El olor era insoportable, los baños se empezaron a inundar y no dábamos abasto para recoger aquel horror, con el que al final pudimos acabar después de mucho esfuerzo y mucho asco. Al día siguiente vinieron arquitectos y técnicos a estudiar la causa de aquel horror, y no la encontraron; solo dijeron que era imposible que aquello hubiera sido provocado por un simple atasco, dado que en aquella zona apenas vivía gente todavía y todas las canalizaciones eran completamente nuevas. Aún hoy no se explican qué pudo suceder. Yo no quise obsesionarme, pero buenas vibraciones no parecía que me estuviesen enviando, desde luego.

Desde entonces llevo siempre conmigo algunos objetos que me han dado amigos, a modo de protección: piedras, estampas, amuletos, etc. Así pasa…, cargo con un bolso que pesa una tonelada y el brazo siempre está dolorido «por el peso de la protección».

Esperar que pasen las desgracias nunca nos ha ayudado a evitarlas, tampoco estar en permanente estado de temor hará que sorteemos los riesgos; lo negativo atrae a lo negativo. Pero, si cambiamos nuestro foco y centralizamos nuestra atención en conseguir la buena suerte, aunque esta no aparecerá por arte de magia, nosotros estaremos poniendo más esfuerzo y dedicación en conseguirla.

Al final, me ha costado darme cuenta de que la felicidad o la tristeza, la buena o la mala suerte, no vienen determinadas por una serie de circunstancias, sino por mi disposición para recibirlas. Por eso, ahora, como dijo el entrenador de fútbol Louis Van Gaal, hay que ser «siempre positivo, nunca negativo».

NO PERDER EL TIEMPO: AMAR, CRECER, VIVIR

«Todo santo tiene un pasado y todo pecador tiene un futuro».

Oscar Wilde.

«El amor verdadero no es hijo de un instante.
Ni su eslabón sirve para hacer fuego a voluntad,
sino que, a su aire, nace y anda,
tras largo entretenimiento, que afirma su cimiento.
No la rondarán entonces conjuras o rupturas,
ni se alejará ya nunca del asiento y el crescendo.
Lo que viene a confirmar el que veamos
toda obra hija de un instante morir en su siguiente.
Yo soy empero tierra durísima, pedernal puro,
del todo remisa a los esquejes, insumisa,
si bien aquella planta que en mí arraiga
ya no tenga —en primavera— cuidado de las lluvias».

«El amor verdadero». Ibn Hamz (994-1063), poeta andalusí.

De los niños he aprendido a vivir el momento, a no preocuparme por el futuro lejano, porque ha habido épocas en las que me ha dado la sensación de que me estaba perdiendo la vida por pensar en cómo vivirla. Es imposible mantenerlo todo bajo control, hay un porcentaje tan alto de incertidumbre en nuestro día a día que lo más importante es amar, crecer y vivir. No os recomendaré que lo hagáis durante todo el tiempo, sería demasiado, pero es necesario abrazar, acariciar, besar, tocar, acurrucarse…, es decir, demostrar afecto a todas las personas a las que queramos y que nos importen.

Las mujeres de mi generación hemos recibido una educación que nos ha predispuesto a aguantar lo que nos deparase el destino antes que a buscar nuestra propia felicidad. Frases como «si el dinero entra por la puerta, el amor sale por la ventana» nos hacen tener miedo a nuestra propia felicidad, ante la amenaza de que, precisamente por buscarla con insistencia, terminemos por atraer la mala suerte.

En mi vida he tenido buenos y malos momentos, pero no siempre unos han venido tras otros o a consecuencia de haber experimentado los anteriores. La esperanza es motivadora, en cambio, el desengaño acaba con el esfuerzo. ¡Si hubiera permanecido sentada esperando un cambio en mi situación, sin haber hecho yo nada para propiciarlo, seguramente todavía estaría en la misma posición!

Pegada a la ventana, con una copa de vino

Os he comentado en páginas anteriores que lo mejor de tener cincuenta y de haber comenzado una nueva vida es que nos damos cuenta de que debemos prestarnos más atención. Esta edad es la de la recuperación del gusto por el *yo, mí, me, conmigo*. Existen mujeres que, hasta el fin de sus días, seguirán entregadas al trabajo por y para los demás. Como elección vital puede ser igual de buena que otras, pero yo os recomiendo que empecéis a perseguir el enriquecimiento personal, y no es de la búsqueda del dinero de lo que estoy hablando, sino de todas aquellas cosas que nos producen felicidad.

Hoy, estoy escribiendo estas líneas finales por la noche, pegada a la ventana, con una copa de vino tinto al lado del ordenador. Para mí, este es el escenario perfecto de un momento feliz, de un momento pleno, y eso es lo que os quiero transmitir. No podemos saber qué nos deparará el destino. Incluso cosas de mi vida que parecían absolutamente estables se han caído como auténticos castillos de naipes, pero ahora he cambiado y pienso que yo puedo ser el imán que atraiga mi propio bienestar.

Dijo Benjamin Franklin que «la felicidad no se logra con grandes golpes de suerte, sino con pequeñas cosas que ocurren todos los días». Yo, incluso, me atrevería a completar estas preciosas palabras diciendo que, si se suman todas esas pequeñas cosas placenteras, nos harán sentir un gozo inconmensurable.

Take it easy (Tómatelo con calma)

Para que os deis cuenta de lo necesario que es ir más despacio y poner atención en todo lo que se hace, os contaré lo que me pasó hace unos días. Me habían invitado a la entrega de premios de la Federación de Mujeres Directivas, Ejecutivas, Profesionales y Empresarias (FEDEPE). Yo acababa de llegar de viaje, y unos amigos pasarían a recogerme enseguida. Me arreglé corriendo y, cuando me disponía a maquillarme, noté que tenía los ojos muy rojos, sin duda, producto del cansancio. Sin mirar, sin prestar casi atención, abrí el típico botiquín casero en el que guardo desde una tirita hasta medicamentos para bajar la fiebre de mis nietos. Como os digo, abrí la puerta del pequeño armario y cogí un frasquito que, por su tamaño, me pareció un colirio. Me eché en uno de los ojos y al instante noté cierto picor. Me pareció extraño, no era la reacción que yo esperaba de ese medicamento. ¡Menos mal, porque, si no llego a notar nada, me lo pongo en los dos ojos! De pronto, empecé a notar que dejaba de ver con claridad. Muy preocupada, miré la etiqueta y comprobé que, en lugar de colirio, me había puesto un medicamento indicado para respirar sin dificultad cuando se tiene un catarro. Por un ojo veía borroso y por el otro completamente normal.

Con toda rapidez llamé a mi hermano —como sabéis, es médico— para contarle lo que acababa de hacer. Me echó un pequeño rapapolvo sobre las desventajas de ir corriendo a todos los sitios, pero me dijo que no era preocupante y que en dos días se me pasaría, aunque —me advirtió—, de haberse tratado de otro medicamento, quizá me hubiera dejado importantes secuelas. Ya como colofón de la anécdota, fui a terminar de maquillarme con mi único ojo útil y, frente al espejo, caí en la cuenta de que tenía una pupila de tamaño normal y la otra dilatada y grande como si fuera un huevo frito. Es decir, que mi despiste también se notaba exteriormente. No tengo que contaros que mucha gente del acto al que iba se fijó, y que tuve que dar más explicaciones de las necesarias. Menos mal que por lo menos iba acompañada, y me llevaron a casa; así no tuve que coger el coche. Efectivamente, la normalidad volvió en dos días. Esta es solo una anécdota, pero ilustra muy bien cómo la velocidad se ha convertido en nuestra sombra —y de ella sí podemos desprendernos—.

Amar sin freno ni miedo

Os contaré un caso muy raro. Un hombre es abandonado por su esposa, que se lía con su profesor de golf; él queda muy tocado, ya se sabe…, cuando una pareja se termina por infidelidad femenina los hombre tardan en superarlo, porque a todos los problemas se suma el dolor del orgullo mancillado. Él ha tenido algunas historias, bastante frívolas y sin mucho interés, pero después de dos años ha conocido a una mujer a la que le ha confesado su amor. No obstante, al mismo tiempo le advierte de la conveniencia de ir despacio. ¡Y tanto! Llevan saliendo juntos más de un año, se han dado un beso y se han cogido de la mano en menos de diez ocasiones. Como viven en diferentes ciudades, llevan una relación de *mensaje*o y visitas más o menos frecuentes. Analizando este caso, considero que una cosa es ir despacio para tratar de que no te vuelvan a hacer daño, y otra distinta no poner nada de interés. Creo que este señor no ha superado su divorcio, y rellena los espacios de tiempo muerto y los ratos de soledad a base de SMS y *whatsapp*.

Conozco otra pareja recién formada que reparte la totalidad de los gastos al 50 %: la vivienda, los gastos comunes y los derivados de los vehículos, y luego cada uno se hace cargo de los que generan los hijos propios. Me parece un arreglo bastante peculiar, es más un piso compartido que una relación de pareja. A veces, las personas, por no cometer errores, son capaces de tomar decisiones muy extrañas.

TODO LO QUE AÚN NO SÉ

«Un día sucede que, por más que se oponga el destino u otra fuerza, el rumbo de nuestra vida gira inesperadamente hacia la dirección correcta. Y seremos felices, disfrutaremos de ella por todo el tiempo que estuvimos esperándola. Y llega como viene todo lo mejor, inesperadamente. Como dicen, "nada dura para siempre, ni siquiera el dolor", porque todo tiene un final con puntos suspensivos, no se sabe qué pasará más adelante, pero lo importante es saber lo que estamos sintiendo y viviendo en el momento, no importa nada más. No pensar en que algún día terminará es lo mejor que podemos hacer. Nunca se me dieron muy bien las matemáticas, pero la esperanza multiplicada con la perseverancia da mejores resultados que cualquier otra operación».

elchicodelayer.blogspot.com, Benjamin Griss, bloguero.

«Yo me conformo con tenerte a ti
y con tener conciencia».

Luis García Montero (1958), escritor y poeta.

En estas páginas he abierto mi corazón como nunca antes lo había hecho, he dado mi versión sobre épocas muy difíciles de mi vida: os he contado las decisiones que he tomado para salir adelante, os he dicho cómo me alimento, cómo me cuido y cómo es mi familia, cuándo me he enamorado y qué quiero conseguir en la vida. He querido trasladaros una imagen real de lo que soy, y un perfil de todas las facetas, valores y sueños que me ha costado toda una vida conocer y esforzarme en alcanzar. Si ahora me preguntasen si soy feliz, diría que sí, en la medida de lo posible; en realidad, tomaría prestadas las palabras de un buen amigo: «estoy bien, pero no me fío». Puede ser que me haya acostumbrado a conformarme con menos, que solo con esquivar los golpes del destino me dé por satisfecha, que me parezca suficiente no sentir dolor, porque sé que la alegría llegará más tarde o más temprano.

Tengo el corazón sano, durante un tiempo fue un corazón vacío y decepcionado, y ahora está ocupado por el afecto y la esperanza. Puede ser que a mis cincuenta y siete haya encontrado por fin las claves para escribir el *Manual de normas básicas para que no me alcance la desdicha*. Podéis pensar que la plenitud que siento en la actualidad es más ingenuidad que realidad, pero ya me cansé de dejarme la piel en el camino de ida y vuelta.

Al final, tras releer estas páginas, he sacado algunas importantes conclusiones: que todo es relativo, que soy lo que yo misma he hecho de mí y de mis circunstancias, pero que también soy la personalidad que los demás perciben. La vida, por poco que nos regale, ya es mucho, y eso hay que agradecerlo.

Cumplir años me dio algunas incertidumbres, aunque también importantes certezas; la principal es que en la batalla que libré entre lo negativo y lo positivo ha ganado esto último, y eso se nota en mi cuerpo y en mi cabeza, en mis afectos y en mis ganas de comerme el mundo. He aprendido a estar callada y en soledad. Los cumpleaños me han hecho mejor persona; me han enseñado a pensar en mí, pero también a mantenerme alerta frente a las necesidades de los demás.

He cosechado estos logros porque he conseguido pertenecer al club de las perfectas divorciadas. Por la experiencia vivida, he querido ofreceros unas claves para que el final de un matrimonio no se convierta en un infierno.

Hay un tiempo para destruir y otro para construir, solo hay que saber dónde termina y empieza cada uno. Yo ya destruí suficientes cosas para mantener mi camino limpio y visible, para poder avanzar sin tropezar, y ahora merezco, necesito y deseo ser feliz. ¡Vivan las perfectas divorciadas!

MANDAMIENTOS PARA CONVERTIRSE EN UNA PERFECTA DIVORCIADA

— El divorcio tiene principio y fin.
— Tan difícil es mantener un buen matrimonio como que se produzca un buen divorcio.
— A veces hay que renunciar a personas, no porque no te importen, sino por lo poco que tú les importas a ellas.
— Todos los apoyos son necesarios, no hay que desdeñar ninguno. Nadie sale solo de un divorcio, cuanto antes reconozcas que necesitas ayuda, mejor. Echa mano de familia, de novios, etc. También, de la gente que puede facilitarte la vida en los detalles prácticos: el del banco, el del seguro, el portero, el profesor de tus hijos, los vecinos, el del taller, etc. Si están de tu parte, puede ser que hagan tu día a día un poco más sencillo.
— Nunca trates de desempeñar el papel de padre y madre con tus hijos. Ellos ya tienen un padre, esa no es tu función. Ni les beneficia a ellos ni a ti; bastante tienes con ejercer de madre.
— Hay que favorecer que el padre participe en las decisiones que afecten a los hijos, que haya comunicación entre ellos.

— Tienes que evitar que tu expareja trate de manejar y controlar tu vida a través de tus hijos, ellos no tienen que ser su fuente de información.

— Nunca debes esperar mucho de los amigos, es mejor estar sorprendido que decepcionado. Las reacciones de los amigos siempre son inesperadas, nunca actúan cien por cien como pensabas que iban a hacerlo, bien sea positiva o negativamente.

— No a toda la gente le interesa tu divorcio. Menos autobiografía, menos ataques a tu ex y más temas nuevos de conversación. Si estás constantemente hablando del mismo asunto te convertirás en una pelma a la que nadie querrá como compañía.

— Es mejor que dejes por escrito, firmados y con plazos especificados todos los acuerdos a los que llegues con tu ex. Cualquier cosa que esté simplemente hablada puede convertirse en algo imposible de probar; las palabras se las lleva el viento.

— Debes llegar, cuanto antes, a acuerdos económicos sobre los temas que tenéis en común, así partirás de cero, sabrás con lo que cuentas y no habrá conflictos de intereses.

— Lo mejor que puedes conseguir es un divorcio de común acuerdo, pero no hay que firmar cualquier cosa con tal de evitar un pleito. Has de tener en cuenta que tus derechos son lo primero, porque tu futuro dependerá de lo que ahora acuerdes.

— Cuenta con un buen abogado, pero marca tú las bases del proceso. Si quieres llegar a acuerdos, nadie debe imponerte lo contrario. El profesional está para asesorarte, no para prolongar el litigio a perpetuidad. Hay que tener cerca abogados que te ayuden con eficacia, no que estén pendientes de las horas que te van a facturar.

— Guarda y pon a buen recaudo los papeles de valor sentimental y económico, y realiza copia de todos los documentos. Si los llevas al día, incluso cuando se mantiene
una feliz relación, mejor. Porque si todo va bien, te servirá para tener los asuntos controlados, y, si las cosas se
tuercen, te pillará con los deberes hechos y todo bien
guardado y ordenado.

— Cuidado con la economía conjunta: cuentas, deudas,
propiedades, tarjetas de crédito, etc. Vigila bien tu patrimonio y no dejes que te avasallen.

— No te quedes sola durante los primeros momentos del
proceso (custodia de los hijos, uso de la vivienda, reparto
de los enseres, establecimiento de pensión, distribución de
los bienes, etc.), lo mejor es que tengas al lado a personas
que te quieran de tu familia o de tus amigos, con la única
condición de que no fomenten las batallas emocionales.
Rodéate de gente práctica, justa e inteligente, pero no
avariciosa.

— Tienes que cuidarte y estar bien físicamente, o por lo
menos aparentarlo: comer correctamente, dormir lo suficiente, y estar animosa y saludable. Ya tendrás tiempo de
derrumbarte. Si ahora no te preparas así, el divorcio te
acabará ganando la partida.

— Cada uno tiene sus tiempos, sus sentimientos y sus métodos, no te compares con nadie. Lo más importante es
superarlo, rehacerte y conseguir llevar cuanto antes una
vida digna, tranquila y feliz.

— No hay que pensar que debemos querer a todo el mundo
ni que todo el mundo tiene que querernos a nosotras; las
cosas no son tan sencillas. Siempre hay que dar respeto y
exigir respeto, otra cosa diferente es dar cariño y exigir
cariño.

— Las personas no suelen cambiar con el paso del tiempo;
quizá es que nunca fueran lo que nosotras imaginamos

que eran. Tampoco esperes conseguir en el divorcio cambios que no conseguiste que sucedieran mientras duró la relación.

— Ataca solo si estás segura de que van a hacerte daño a ti, si no es así, solo protégete y negocia un acuerdo en el que salgas lo mejor parada posible. Un pacto intermedio o incompleto es mejor que una victoria larga y dolorosa.

— Y, por último, recuerda que un ex es para toda la vida.

AGRADECIMIENTOS

Gracias a mis hijos, A, A, J y S, y a mis nietos, J, M y G, por hacer mis días más felices.

Gracias a A, mi madre, y a mis hermanos, M y P, porque son mi refugio. Y a mi padre, Manuel, porque, aunque hace años que no está, yo le sigo echando de menos como el primer minuto.

Gracias a E por su amor y su compañía.

Gracias a R y S, y a R, A, L y M, por el afecto y el apoyo.

Gracias a R y a N, mi otra familia.

Gracias a algunas personas que han estado a mi lado. Solo pondré iniciales porque no quieren propaganda, pero ellos saben que son importantes en mi vida. Gracias a A, C, P, E, F, M, R, N, C, C, F, P, L, P, J, L, L, L, M, T, P, V, V, S, CH, A. Aunque alguna letra se me olvide, en mi corazón seguro que aparece.

Gracias a quienes me han querido siempre de forma desinteresada; aquí ni siquiera hacen falta las iniciales, ellos saben quiénes son.

Gracias a las personas que estuvieron a mi lado en los malos momentos, y a las que no estuvieron y contribuyeron a quitar peso de mi agenda.

Gracias a las personas que trabajan conmigo, porque sé que hay un esfuerzo nuevo cada día.

Gracias a la prensa del corazón, a los periodistas y *paparazzi,* por su interés y su perseverancia.

Gracias a las personas que han ayudado de alguna forma a que este libro esté ahora en vuestras manos.

Gracias a los que esperan y a los que no desesperan.